SEMEZ AUJOURD'HUI, RÉCOLTEZ DEMAIN

D1366300

Données de catalogage avant publication (Canada)

Zelinski, Ernie J. (Ernie John), 1949-

    Semez aujourd'hui, récoltez demain

    Traduction de: Look Ma, life's easy.

    ISBN 2-7604-0883-3

    1. Succès, Aspect psychologique. 2. Réalisation de soi. 3. Vie - Philosophie.
I. Titre

BF637.S8Z4514   158   C2002-941734-1

Dépôt légal: Bibliothèque nationale du Québec, 2002

Les Éditions internationales Alain Stanké remercient le Conseil des arts du Canada et la Société de développement des entreprises culturelles (SODEC) de l'aide apportée à leur programme de publication.

Nous reconnaissons l'aide financière du gouvernement du Canada par l'entremise du Programme d'aide au développement de l'industrie de l'édition (PADIÉ) pour nos activités d'édition.

Gouvernement du Québec – Programme de crédit d'impôt pour l'édition de livres – Gestion Sodec

Stanké international
25, rue du Louvre
75001 Paris
Tél.: 01.40.26.33.60
Téléc.: 01.40.26.33.60
www.stanke.com

Les Éditions internationales Alain Stanké
7, chemin Bates
Outremont (Québec) H2V 4V7
Tél.: (514) 396-5151
Téléc.: (514) 396-0440
editions@stanke.com

IMPRIMÉ AU QUÉBEC (Canada)

Diffusion au Canada: Québec-Livres
Diffusion hors Canada: Inter Forum

Ernie J. Zelinski

SEMEZ AUJOURD'HUI, RÉCOLTEZ DEMAIN

Le paradoxe de la vie facile

Traduit de l'anglais par Jean-Louis Morgan

Stanké

QUEBECOR MEDIA

Chapitre I

NOUS SOMMES CE QUE NOUS PENSONS.
DONC, PENSEZ ET AGISSEZ TOUJOURS
COMME SI VOUS ET VOTRE VIE EN DÉPENDIEZ.
VOUS SEREZ SURPRIS DE VOUS APERCEVOIR QU'AU BOUT
D'UN CERTAIN TEMPS, VOUS NE VERREZ PLUS LA DIFFÉRENCE!

Sheldon marchait dans la rue Robson, en direction de l'ouest, quand une Mercedes-Benz 190 SL 1959 noire décapotable au toit abaissé attira son regard. Le cabriolet deux places était une merveille à voir. Il n'y avait pas une seule égratignure sur sa peinture brillante. Elle avait l'air aussi neuve que le jour où elle était sortie de la vitrine du concessionnaire, en 1959. L'intérieur avait encore son recouvrement d'origine en cuir rouge.

Sheldon avait souvent rêvé de posséder une voiture sport ancienne, comme la merveille qu'il avait devant les yeux. Il en avait déjà vu cinq ou six de ce genre-là lorsqu'il avait visité Beverley Hills, mais pas une n'était dans un état aussi parfait que celle-là. Il se souvenait avoir lu dans des magazines de voitures que ce modèle en particulier possédait un moteur à quatre cylindres. Toutefois, grâce à ses deux carburateurs Solex, elle avait une bonne accélération pour une voiture de cette époque. Ce qui lui plaisait vraiment dans ces belles d'antan, c'était leur toit, soit à capote de toile, soit rigide, mais amovible.

Au moment où Sheldon passait à côté de la Mercedes, un homme d'âge moyen sortit d'une boutique et se dirigea vers la porte du conducteur de la voiture. Ce n'était pas un personnage de stature imposante. Il devait mesurer un mètre soixante-dix-huit et peser soixante-dix kilos. D'apparence soignée, les cheveux blonds mêlés d'une touche de gris, il pouvait être au début de la quarantaine.

Sans penser vraiment à ce qu'il faisait, Sheldon prononça quelques mots : «Vous avez vraiment une belle auto. J'ai toujours préféré les Mercedes 190 à toutes les autres voitures de sport anciennes. J'aimerais bien avoir votre chance et en posséder une un beau jour.

– Merci pour les compliments au sujet de la voiture. Comme vous, j'avais toujours voulu en posséder une. Je l'ai finalement achetée il y a deux ans. Au fait, je m'appelle Brock.

– Enchanté de faire votre connaissance. Je m'appelle Sheldon.

– Au fait, qu'est-ce qui vous fait penser qu'il faille avoir de la chance pour posséder une 190 SL?, demanda Brock. Si j'ai pu le faire, vous aussi pouvez y arriver.

– Bien sûr, répondit Sheldon. Mais un jeune Noir comme moi n'aura jamais la chance d'acheter une voiture valant 30 000 dollars ou même plus, spécialement ici, à Vancouver, où il est déjà tellement difficile d'arriver à gagner suffisamment d'argent pour payer son loyer et sa nourriture. À part ça, je suis des cours à l'université en ce moment. J'ai un petit boulot à temps partiel et cela ne rapporte pas beaucoup. Même si je travaillais à temps plein, je ne gagnerais jamais suffisamment d'argent pour m'en payer une comme celle-là.

– Pourquoi pas? répliqua Brock. Il est surprenant de voir ce que l'on peut faire de sa vie quand on est sérieusement motivé. Qu'il soit Noir ou Blanc, un homme peut toujours faire et obtenir beaucoup plus de la vie qu'il ne le pense. La question que vous devez vous poser est celle-ci : êtes-vous prêt à faire en sorte que cela arrive, peu importe ce qu'il faut pour y arriver?

– C'est facile pour vous de dire cela. Je parie que lorsque vous étiez jeune, vous avez eu cent fois plus de chances que moi. Je dois sans cesse faire face à des désavantages et on me discrimine à cause de la couleur de ma peau et de mon âge. Toute ma vie, je serai confronté à des problèmes de racisme qui m'empêcheront de réussir aussi bien que les hommes comme vous qui, un jour, parviennent à s'acheter une voiture comme celle-là.

– Peut être que oui, peut être que non, déclara Brock. Tout d'abord, ne prenez pas pour acquis que tout m'est tombé du ciel. Je n'ai pas eu une enfance facile. Mes parents étaient fermiers. Leur revenu a toujours été précaire. Nous étions pauvres. Ils n'ont jamais pu me donner de biens matériels, ni d'aide financière.»

Brock continua : «Plus tard, lorsque j'étais dans la vingtaine, j'ai obtenu un diplôme universitaire d'ingénieur à l'aide de prêts étudiants. Je détestais le travail d'ingénieur et cela n'a duré que cinq ans. Quand j'ai eu dépassé trente ans, je suis retourné à l'université et j'ai fait une maîtrise en administration. Les années qui suivirent, je n'ai pu travailler qu'à mi-temps. À l'âge de quarante-cinq ans, je n'avais pas un sou vaillant. Je me considérais comme un raté fini, si l'on prend en considération que les personnes de cet âge-là ont en général une belle situation et possèdent des voitures flambant neuves, ainsi que de belles maisons.

– Vous étiez sans le sou à quarante-cinq ans! Mais quel âge avez-vous donc? demanda Sheldon. J'aurais juré que vous étiez au début de la quarantaine.

– Comprenez-moi bien, ajouta Brock. Cela date d'il y a sept ans à peine. En fait, j'étais plus que fauché à l'époque. Je possédais une vieille voiture complètement déglinguée qui doublait de valeur chaque fois que je faisais le plein d'essence. Je vivais sous le seuil de la pauvreté et j'avais 40 000 dollars de prêts étudiants à rembourser, sans compter toutes mes autres dettes. J'avais l'impression d'être un de ces artistes romantiques qui crèvent de faim à Paris parce que mon appartement n'était qu'à moitié meublé et que je n'avais pas les moyens d'acheter d'autres meubles. Cependant, j'ai décidé de prendre ma vie en main. À l'heure actuelle, je possède trois autos, bien que je conduise peu. J'ai réussi à acheter et à payer complètement une belle maison. Mais le plus important est le fait que j'aime le travail que je fais.

– Vous avez dû vous dénicher une situation vraiment intéressante, avec un excellent salaire et certainement beaucoup d'heures supplémentaires pour avoir réussi à acheter trois autos et une maison en à peine sept ans.

– Tout au contraire, ma manière de travailler n'est pas considérée comme "normale". Je travaille pour moi et beaucoup moins longtemps que la majorité des gens. En fait, je travaille en général de quatre à cinq heures par jour et cela suffit à me procurer un revenu plus que décent.»

– Cela doit être une bonne situation, pour qui a la chance d'en trouver une comme celle-là, dit Sheldon d'un ton soupçonneux.

– Vous ne comprenez pas, dit Brock. Je n'ai pas trouvé du "travail". Je m'en suis créé en faisant ce que je sentais que je devais faire.

– Vous m'avez tout l'air de mener une belle vie. Que faites-vous exactement? demanda Sheldon.

– Je suis auteur et conférencier. C'est une vie très agréable et je ne la changerais pour rien au monde. Cependant, cela n'est pas facile dans le sens normal du terme.

– Que voulez-vous dire?» demanda Sheldon.

– Ce que je veux dire, c'est que si c'était si facile, tout le monde le ferait. La vérité, c'est qu'il existe des millions de personnes qui possèdent plus de talent et qui sont plus privilégiées que moi qui aimeraient faire la même chose. Mais elles ne le feront pas – même si elles en ont la possibilité – parce qu'il y a un prix à payer.»

Sheldon resta perplexe. «Un prix à payer pour mener une vie facile?» demanda-t-il.

– Certainement, répondit Brock. Dans la vie, il y a un prix à payer pour tout ce qui vaut la peine d'être vécu. Le prix que j'ai payé pour arriver là où je suis n'a pas été aussi élevé. Cependant, beaucoup de personnes ne sont pas prêtes à le payer. Pour arriver là où je suis, je n'ai pas eu besoin de m'investir physiquement dans mon travail, que ce soit par le nombre d'heures que j'y ai passé ou par un effort intense. Cela a exigé de moi un gros investissement émotionnel et énormément de créativité. Cela m'a demandé, en plus, beaucoup d'efforts et de créativité pour conserver une vie qui soit pleine et riche et qui ait un sens, après avoir atteint une vie plus facile.

– Je ne suis pas certain d'avoir compris. Si vous avez une vie facile, pourquoi devez vous travailler si dur pour en mener une qui ait du sens! répondit Sheldon d'une voix étonnée.

– Je dois constamment me motiver pour que ma vie continue à être intéressante, plutôt que de me laisser vivre dans la facilité et l'aisance.»

– De toute façon, dit Sheldon en fronçant les sourcils, j'aimerais drôlement être dans la même situation financière que vous.»

– Comme je vous l'ai déjà dit, vous pouvez très bien être dans la même situation que moi si vous le décidez.

– Je ne le pense vraiment pas, répondit Sheldon. Je viens juste de déménager de Los Angeles pour faire des études en marketing à l'université. Même lorsque j'aurai mon parchemin en poche, cela ne voudra pas dire pour autant que j'obtiendrai un emploi lucratif et que je gagnerai suffisamment d'argent pour atteindre votre situation. Les Noirs, en général, ne peuvent pas avoir de postes extraordinaires, même s'ils ont fait les études nécessaires. À l'heure actuelle, je songe même à laisser tomber mes études, alors qu'il ne me reste qu'un mois pour terminer ma troisième session. Il en resterait une seule autre après. J'aimerais travailler à temps plein.

– Quoi? Mais le programme de cette université ne comporte que quatre sessions et nous sommes déjà en mars! Pourquoi voulez-vous laisser tomber vos études alors qu'il ne reste qu'un mois à cette session-ci et une seule autre session pour obtenir votre diplôme? rétorqua Brock.

– Il faut que j'achète une auto pour ne plus avoir à marcher pour me rendre à l'université et à mon travail. Je perds beaucoup de temps en marchant. Ce que vous me suggérez est difficile, tout spécialement le fait de rester sans voiture pendant six mois de plus, et probablement pendant plus d'un an si je termine mes études.

– Il se peut que cela soit difficile, mais il existe une très grande différence entre "difficile" et "impossible", répondit Brock. Et ce n'est pas parce que l'on se trouve face à une difficulté qu'il faut renoncer ou reculer. C'est plutôt le contraire. Lorsqu'on affronte une difficulté, c'est là qu'il faut foncer et agir. Ces principes se retrouvent dans ce que j'appelle "le paradoxe de la vie facile".

– Et en quoi consiste ce "paradoxe"? demanda Sheldon.

– C'est un principe de base universel qui est très puissant. Je suis en train d'écrire un livre sur ce thème en ce moment. Voici donc comment fonctionne ce paradoxe, dit Brock en dessinant un diagramme sur un bout de papier qu'il venait de sortir de sa poche.

LE PARADOXE DE LA VIE FACILE

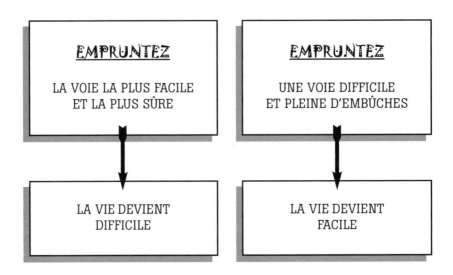

«Voilà, en somme, l'essence du paradoxe de la vie facile, continua Brock. Si vous prenez toujours la voie facile et rassurante, votre vie finira par être difficile et pénible. Si, au contraire, vous faites tout ce qui est difficile et pénible, votre vie finira par être facile et agréable. Cette ligne de conduite peut s'appliquer à tous les domaines de notre vie. Le bonheur et la satisfaction que vous pourrez avoir dans la vie dépendront uniquement de l'assiduité avec laquelle vous suivez cette règle.

– Comment le paradoxe de la vie facile peut-il s'appliquer à moi? demanda Sheldon. Je suis déjà dans la voie difficile et pénible en vivant une vie dure où je suis privé de tout.

– Je ne suis pas certain que votre vie, à l'heure actuelle, soit aussi pleine d'embûches et que vous soyez aussi démuni que vous le dites. Tout est une question de perception, dit Brock. Cependant, il y a une chose dont je suis certain : votre destin est d'avoir une vie difficile et pénible parce que vous prenez des raccourcis faciles dans des domaines très importants de votre vie.

– Pas vraiment. Nommez-m'en un seul.

– Le plus important, c'est que vous souffrez de votre mentalité de victime, à cause de la perception erronée que vous avez de vos désavantages. Vous prenez la voie facile lorsque vous proclamez être une victime du fait que vous êtes un jeune Noir. Je dois tout d'abord vous dire qu'il s'agit là d'un vrai danger. Une fois que vous vous êtes habitué à ce rôle de victime, vous jouerez cette carte jusqu'à la fin. Vous allez vous coucher au milieu de la route et laisser la première voiture vous passer sur le corps, pour ensuite en faire porter le blâme au chauffeur.»

Brock continua : «Vous présenter comme une victime est la façon la plus facile de vous en sortir, parce que vous avez quelque chose ou quelqu'un sur qui rejeter le blâme de votre situation précaire. Cependant, à longue échéance, vous vous apercevrez que c'est là le chemin le pire. En adoptant une mentalité de victime, vous perdez toute votre force d'être humain. Il est alors impossible d'arriver au bonheur ou à une certaine satisfaction, et vous n'accomplirez rien avec un état d'esprit tel que le vôtre.

– Je suis un jeune Noir de vingt-trois ans et, si je me compare à bien des personnes au monde, je me trouve vraiment désavantagé.

– Et alors? Moi aussi, quand j'étais jeune, j'étais également désavantagé si me comparais aux autres jeunes gens de mon âge. Pourtant, j'ai accompli bien plus que des millions de personnes qui étaient plus privilégiées que moi et j'ai même écrit un livre. Je sais d'ailleurs qu'il existe beaucoup de personnes bien plus désavantagées que vous qui réussiront bien mieux que moi.

– Je trouve cela difficile à croire.

– Vous devriez prêter plus attention à ce que vous croyez. De fausses idées préconçues sur vos soi-disant limites vous empêcheront d'avancer. Vous verrez que j'ai raison. Quelles sont, à votre avis, les chances d'avenir d'une jeune femme obèse qui a été abusée sexuellement dans sa jeunesse, noire de surplus et issue d'une famille pauvre?

– Elles sont minces, répondit Sheldon. Elle a tout contre elle, tout spécialement si elle est noire et pauvre.

– Je ne sous-estimerai pas l'importance des problèmes causés par l'agression sexuelle et par l'obésité, parce que ce ne sont pas les vôtres, dit Brock en souriant. Maintenant, si quelqu'un vous disait que cette jeune Noire, obèse, issue d'un milieu pauvre et qui, en plus, a été agressée sexuellement alors qu'elle était enfant, allait devenir une des femmes ayant le plus de pouvoir à la télévision, que diriez-vous?

– Impossible, répondit Sheldon d'un air défiant.

– C'est exactement ce que j'ai pensé que vous alliez répondre, annonça Brock. Eh bien, en fait, la jeune personne que je viens de décrire n'est nulle autre que Oprah Winfrey lorsqu'elle était toute jeune. Regardez donc ce qu'elle est devenue aujourd'hui! Personne ne me contredira si je dis qu'elle est, à l'heure actuelle, la femme la plus connue de la télévision. Tout le monde sait qu'elle est aussi la femme la mieux payée. Son revenu annuel est d'environ dix millions de dollars depuis plusieurs années. Comment pensez-vous qu'elle soit parvenue où elle est aujourd'hui?»

– Elle a dû avoir beaucoup de veine, ce que les Noirs n'ont jamais en général, répondit Sheldon.

– Lorsque j'avais votre âge, j'aurais sans doute attribué le succès d'Oprah à la chance, reprit Brock. Cependant, avec la maturité, j'en suis arrivé à la conclusion que la majorité d'entre nous rencontrons d'excellentes occasions au cours de notre vie. Le problème est que nous ne savons pas en tirer parti. Oprah est arrivée où elle est parce qu'elle n'a pas gaspillé son temps à se morfondre sur son passé. Elle a également décidé de ne pas être une victime pour le restant de ses jours. Au contraire, elle a profité des chances qui se présentaient à elle. Elle a appliqué le paradoxe de la vie facile et c'est bien pour ça qu'elle a réussi.»

Sceptique, Sheldon répliqua : «Quelqu'un comme moi aurait de la difficulté à arriver à faire le dixième de ce qu'Oprah a fait.»

– Comme je vous l'ai dit tout à l'heure, il y a une grande différence entre "difficile" et "impossible", dit Brock. En fait, des personnes bien ordinaires peuvent accomplir des choses extraordinaires. Oprah est seulement un de ces exemples. Nous pouvons accomplir une foule de choses importantes dans la vie. Pour cela, il faut passer outre à toutes ces excuses que nous nous donnons. Si je prends votre cas personnel, il est vrai qu'il y a davantage de défis à relever du fait que vous êtes un jeune Noir, mais il n'y a rien d'impossible.»

Brock continua : «La chose la plus désagréable et la plus difficile que vous ayez à faire à l'heure actuelle, c'est de vous débarrasser de votre rôle de victime. Vous vous faites énormément de tort en vous imposant des barrières et des limites face à ce que vous pourrez ou non faire au cours de votre existence. Le fait de ne laisser aucune place au rêve dans votre vie vous dérobe vos possibilités. Les personnes les plus saines, les plus heureuses, celles qui réussissent, sont celles qui poursuivent leurs rêves et qui réussissent à les vivre en bonne partie. Elles oublient leurs défauts et leurs mésaventures, et utilisent leur créativité pour réaliser leurs rêves.

– Mais, je n'ai pas absolument pas de pouvoir créatif, objecta Sheldon.

– C'est tout à fait ridicule. Tout être humain a la possibilité d'être créatif. Des personnes tout à fait ordinaires accomplissent des choses extraordinaires en utilisant le pouvoir de leur créativité. C'est en fait le sujet de mon premier livre. Il s'appelle *De grandes idées pour un petit monde*. Il vous explique comment devenir plus créatif dans tous les domaines de votre vie, y compris comment obtenir un emploi vraiment intéressant, même à une époque où l'on trouve difficilement du travail. Je peux vous en donner un exemplaire : j'en ai un dans ma voiture.

– Non merci, ça va bien comme ça. Je dois déjà me forcer à lire les livres obligatoires au programme de mes études. Pour dire vrai, je ne lis pas beaucoup, à part les magazines qui parlent d'autos et un roman de temps en temps.»

Brock fit un sourire à Sheldon : «Si vous lisiez quelques livres susceptibles de vous inspirer, cela vous placerait peut-être sur la bonne voie pour vous aider à découvrir comment obtenir toutes les choses que vous désirez. Il est certain que vous pourriez acheter votre Mercedes 190 beaucoup plus vite.

– D'après ce que tout le monde m'a dit, ces livres qui sont censés vous aider et être une source d'inspiration ne servent à rien. Ils ne font qu'enrichir leurs auteurs, répondit Sheldon avec dépit.

– Il est possible qu'ils enrichissent leurs auteurs, mais ils sont également très bénéfiques, déclara Brock. Ces livres qui ont pour objectif la croissance personnelle et se veulent des sources d'inspiration ont permis à beaucoup de leurs lecteurs d'atteindre la réussite et le bonheur, et de se libérer de vieux démons. Oprah fait partie de ces personnes. Elle a lu nombre de ces livres pendant son ascension vers la gloire et la richesse. Elle en lit encore beaucoup, dont certains sont de vraies sources d'inspiration. Je peux rajouter également que ces livres m'ont énormément aidé au cours des années. Je ne connaîtrais pas la réussite financière et professionnelle que j'ai aujourd'hui sans l'aide précieuse des auteurs de ces ouvrages.

– Comment se fait-il alors qu'il n'y ait pas plus de personnes qui tirent profit de ces livres? demanda Sheldon.

– Il existe un problème avec la majorité des gens. Ils lisent ces livres de motivation et, en général, sont d'accord avec leur contenu. Cependant, ils n'opèrent aucun changement dans leur vie, car ils ne mettent pas en pratique ce qu'ils ont lu. Cela nous ramène au paradoxe de la vie facile : on emprunte la voie facile et confortable tout en négligeant de mettre en pratique les principes que l'on a appris. Et il est tout à fait normal que nos vies finissent par s'avérer difficiles et pénibles. Cependant, poursuivit Brock, Je ne vois pas l'intérêt de continuer notre discussion si vous n'avez pas l'intention de lire mon livre, ou tout autre qui lui ressemble, ni de mettre en pratique ce que vous avez lu. De toute façon, j'ai été heureux de vous rencontrer, Sheldon. Je ne travaille que quatre à cinq heures par jour, mais il y a une limite au temps que je peux perdre en loisirs. Je dois retourner à la maison pour travailler un peu sur mon second livre.

– Moi aussi, je dois partir si je ne veux pas arriver en retard à mon travail, dit Sheldon. Et moi aussi, j'ai été heureux de vous rencontrer.

«N'oubliez pas le paradoxe de la vie facile, dit Brock. Réfléchissez bien à ces principes très importants. Pensez à la façon dont vous voulez vivre : de façon rassurante et facile, en quittant l'université sur-le-champ? Cela ne fera que vous rendre la vie difficile et pénible à long terme. Faites-moi confiance. Commencez par faire ce qui est difficile et désagréable en finissant vos cours à l'université, et vous aurez une vie bien plus facile et bien plus agréable à l'avenir.

– Je ferai de mon mieux, répondit Sheldon. Je ne m'attendais pas à recevoir un sermon en allant travailler.

– Vous devriez faire un peu plus attention au synchronisme dans la vie. Il se pourrait bien que vous ayez eu besoin d'un sermon, mais ça, c'est une autre histoire. Passez une bonne soirée à votre travail», ajouta Brock en embarquant dans sa Mercedes.

Sheldon marchait vers son travail et pensait au mot «synchronisme». Le pasteur de son église de Los Angeles avait déjà utilisé ce mot dans le sens d'«intervention divine» pour souligner les coïncidences importantes qui se produisent dans la vie des personnes. Le révérend Thomas avait dit que des rencontres fortuites pouvaient complètement changer la vie de certaines personnes… et pour le mieux, si ces personnes étaient ouvertes à la venue de ces intervenants. Sheldon se souvenait aussi que le révérend Thomas disait : «Lorsque l'élève est prêt, le maître fait son apparition.»

«Ce Brock pourrait-il être une espèce de sage qui a pour mission de m'enseigner quelque chose d'important?» se demanda Sheldon. Non, conclut-il. «Cet homme ne peut pas être un maître de quoi que ce soit d'important. Il ne s'agit que d'une coïncidence.» Il entra dans le café qui l'employait pour entreprendre sa soirée de travail et essaya de classer ce qui venait de se passer comme étant un pur hasard – un événement fortuit qu'il se devait d'oublier. Malgré cela, au fond de lui, une petite voix lui disait qu'il y avait une bonne dose de vérité dans ce que Brock lui avait dit. Mais il essayait quand même de se convaincre que la seule chose qu'il avait aimée chez cet excentrique était sa superbe Mercedes 190 SL.

Lorsque Sheldon quitta le café Starbucks plus tard dans la soirée, il se sentait aussi rejeté qu'il l'avait été en se rendant travailler. Il faisait froid et il pleuvait. Il devait marcher jusqu'à la maison de sa tante où il habitait, parce que les employés des transports municipaux étaient en grève et qu'il n'y avait pas d'autobus ni d'autre moyen de transport en commun. «Cela aurait été drôlement bien d'avoir une voiture», pensa-t-il.

Ses pensées voguaient vers la superbe Mercedes 190 noire. Il était évident qu'il aimerait bien en posséder une semblable. Il recommença à penser à la conversation qu'il avait eue avec le propriétaire de cette voiture. Cela lui semblait vraiment étrange de penser que le paradoxe de la vie facile que préconisait cet homme puisse l'aider à réussir et à obtenir une Mercedes 190 SL. Il était encore plus bizarre de penser que cela était censé l'aider à obtenir le succès et le bonheur pendant toute sa vie.

Sheldon passa à côté d'une cabine téléphonique et remarqua qu'il y avait un petit livre noir que quelqu'un avait dû oublier à côté du téléphone. Il s'arrêta pour examiner l'objet. Ce livre comportait une reliure de cuir luxueuse d'un genre qu'il n'avait jamais vu auparavant. Sur la couverture, était imprimé le titre : *Le Petit Livre du secret de la vie*. Il le prit et le feuilleta brièvement. Ses pages contenaient une collection d'aphorismes et de paragraphes très courts.

Il regarda ce qui était écrit à l'intérieur de la page couverture et lut ces mots écrits à la main, d'une écriture tellement petite qu'elle en était presque illisible pour un œil normal.

À qui trouvera ce livre.
Vous avez le privilège de posséder un des
cent exemplaires du genre qui ont été imprimés.
Ce n'est pas par hasard qu'il est tombé entre vos mains.
Votre devoir est d'en faire bon usage.
S'il vous plaît, partagez avec d'autres ce que vous aurez appris.

Le Moine itinérant de l'Himalaya

«Quelle journée bizarre, conclut Sheldon. Tout d'abord ce Brock et maintenant cet étrange petit livre. Pourquoi donc l'ai-je trouvé? Qui est ce "Moine itinérant de l'Himalaya"? C'est pas mal idiot de faire imprimer seulement cent exemplaires d'un livre. De plus, c'est un livre cher et c'est également idiot d'en abandonner un pour que quelqu'un – n'importe qui – le trouve.»

Ses yeux se fixèrent sur la première page et il lut un proverbe qui avait été écrit en une typographie qu'il n'avait jamais vue auparavant.

Toute grande réalisation dans l'histoire de l'homme
provient d'une petite pensée.
Nous avons tous de telles pensées.
Cependant, peu de gens en font quelque chose.
Qu'avez-vous l'intention de faire des vôtres?

Sheldon referma le livre et le mit dans la poche de sa veste pour éviter qu'il ne soit mouillé par la pluie. «Cela doit être une énorme plaisanterie, pensa-t-il. Je n'aime pas lire et je finis par trouver un livre de motivation. C'est vraiment dommage que je n'aie pas le numéro de téléphone de ce Brock. Il aime bien ce genre de bouquin et me donnerait probablement cinquante dollars pour un livre relié plein cuir et écrit par un moine romanichel.»

Il continua son chemin pour rentrer chez lui. Ses pensées retournèrent au premier passage qu'il avait lu dans Le Petit Livre. Il avait une bonne mémoire et s'en souvenait mot pour mot. Il se le récita, à voix basse : *«Toute grande réalisation dans l'histoire de l'homme provient d'une petite pensée. Nous avons tous de telles pensées. Cependant, peu de gens en font quelque chose. Qu'avez-vous l'intention de faire des vôtres?»*

Ce passage le fit réfléchir un peu plus sérieusement au contenu du livre. Il le sortit de sa poche, le protégea de la pluie puis commença à lire le deuxième passage.

*En tout premier lieu, recherchez les rêves qui valent
la peine d'être poursuivis.
Une fois ces rêves découverts, osez les poursuivre
avec tout votre cœur et toute votre âme.
Ce serait une erreur de ne pas le faire.
Le regret que l'on a des rêves que l'on n'a pas réalisés
est l'expérience la plus triste qu'il vous sera donné de vivre.*

En une fraction de seconde, Sheldon se remémora quelques-uns des rêves qu'il avait eus alors qu'il était adolescent. À cette époque-là, il voulait devenir quelqu'un qui ait réussi et qui soit respecté de tous. Il voulait spécialement devenir quelqu'un qui serait un modèle pour la communauté noire. Jesse Jackson était l'une de ses idoles, car il avait justement réussi à le faire. Même à l'heure actuelle, Sheldon ne voulait surtout pas finir ses jours en vivant au jour le jour, en se taillant une existence difficile grâce à un travail qui ne le menait nulle part. Il ne voulait pas non plus devenir un revendeur de drogues comme deux de ses anciens copains, qui avaient des revenus assez substantiels, mais qui vivaient toujours avec, suspendue au-dessus de leurs têtes, l'épée de Damoclès de la prison ou la menace d'une balle perdue.

Il est plus facile de parler de ses rêves que de les atteindre.
Vous pouvez avoir les rêves les plus merveilleux; vous n'en ferez que des rêves plus que médiocres si vous ne faites rien pour les réaliser.
En effet, ce que vous n'entreprenez pas n'aboutira jamais.

«Il y avait peut-être du bon dans les conseils de Brock, pensa Sheldon. Je pourrais songer à obtenir mon diplôme en marketing avant de chercher du travail. Oprah ne serait jamais arrivée là où elle se trouve aujourd'hui si elle ne s'était pas obstinée à terminer ses études et à réaliser ainsi ses rêves. Elle ne serait certainement pas là où elle est aujourd'hui si elle avait décidé d'avoir un travail quelconque qui lui aurait rapporté juste assez d'argent pour avoir une vie ordinaire et s'acheter une voiture.»

Il n'est pas aussi difficile que vous le croyez d'être heureux et de réus-
sir dans la vie.
Gardez toujours présents à l'esprit les deux faits suivants :
les choses qui paraissent les plus faciles dans la vie sont souvent les
plus difficiles.
Au contraire, celles qui paraissent être les plus difficiles sont beau-
coup plus faciles que la grande majorité des personnes ne le pense.

Sheldon ne comprenait pas vraiment bien comment ce dernier extrait pouvait s'adresser à lui. La pluie tombait plus drue et il remit l'opuscule dans sa poche.

Lorsque Sheldon arriva à la maison de sa tante ce soir-là, il posa le petit livre sur la table à café du salon. Il avait envie de le lire un peu plus mais il décida qu'il avait reçu suffisamment de sources d'inspiration pour la journée. À la place, il commença à faire les travaux exigés par ses cours. Une heure plus tard, il était trop fatigué pour continuer. Il fit les trois quarts de son travail et s'arrêta : il était certain d'obtenir une bonne note de toute façon. Il avait la chance de pouvoir investir un peu moins de temps dans ses travaux que les autres élèves et de se classer quand même parmi les meilleurs de sa classe.

Sheldon était même trop fatigué pour regarder la télé, qui demeurait une de ses activités préférées pendant ses heures de loisir. Peu de temps après, il alla se coucher et tomba dans un profond sommeil. Dans son plus beau rêve, cette nuit-là, il avait déniché un bon travail et rencontré une jeune femme merveilleuse. Et, lorsqu'il sortait avec elle, il était tout fier d'être au volant de sa Mercedes 190 SL.

* * *

Le matin suivant, le soleil était à nouveau au rendez-vous. Sheldon se dirigeait à pied vers l'université avec le même désir que la veille : posséder une voiture. La matinée se déroula sans incident et il eut des cours pendant une bonne partie de l'après-midi. Il s'obligea à aller à la bibliothèque, où il travailla sur un essai sur le behaviorisme qu'il devait remettre à la fin du semestre. Au bout d'une heure de travail intense, il en eut assez d'étudier et décida d'ajourner.

Il rentra chez lui plus tard dans l'après-midi. Sa tante, qui était infirmière et qui travaillait la nuit, n'était pas là. Il se prépara son dîner et mangea seul en feuilletant une revue qui parlait d'autos de luxe. L'article principal traitait de la Porsche 924 Carrera. Il aimait cette voiture sport moderne autant que les Mercedes 190 plus anciennes.

Ce soir-là, il n'avait pas à se rendre au Starbucks Café, car il ne travaillait que quatre soirs par semaine. Sa conscience lui dictait qu'il devrait étudier. Cependant, il justifia très vite sa décision de faire autre chose. En effet, à quoi bon perdre son temps à étudier s'il décidait d'abandonner ses cours au milieu de la session?

Sheldon s'ennuyait, mais il n'avait pas d'argent pour aller à l'Éléphant rose prendre quelques bières avec les habitués du lieu. Il conclut donc que la meilleure chose à faire serait de regarder un match de base-ball à la télé. Plus tard, il pourrait essayer de voir s'il y avait un bon film. Il saisit la télécommande et fit tomber accidentellement *Le Petit Livre du secret de la vie*. Il le ramassa et lut ce qu'il y avait d'écrit à la page qui s'était ouverte toute seule. Sheldon ne savait pas pourquoi, mais il eut tout de suite l'impression que ce passage s'adressait directement à lui.

Si vous vous ennuyez, c'est certainement un choix que vous avez fait.
Il vous faudra répondre à cette question :
Pourquoi?

Le passage qui était écrit sur l'autre page était tout aussi à-propos.

Si vous avez décidé de dormir, dormez.
Si vous avez décidé de jouer au golf, jouez au golf.
Si vous avez décidé de travailler, travaillez.
Surtout, ne restez pas assis à regarder la télé.
Ce n'est pas la bonne façon de mener votre vie,
une vie qui en vaille la peine.

L'objectif principal de la télévision est
d'enseigner à des personnes très performantes
que tout, ici-bas, n'a pas forcément un but utile.

Tout d'abord, ces premières paroles le remplirent de colère. Sa pensée initiale fut : «Ce moine itinérant ne connaît rien, il ne possède probablement pas de téléviseur. La télévision a un but hautement éducatif et constitue un bon moyen pour les personnes à faible revenu de faire quelque chose.» Après avoir repris le contrôle de ses émotions, Sheldon admit qu'il regardait très peu les émissions éducatives. Il regardait la plupart du temps des émissions de sport et des films, ce qui n'améliorait en rien sa qualité de vie.

Sheldon tourna la page. Il n'y avait que deux lignes d'écrites sur cette page, mais ces deux lignes donnaient vraiment à réfléchir.

Choisissez bien les ornières dans lesquelles vous vous enfoncez,
car vous risquez fort d'y être pour longtemps.

Il repensa à ses rêves d'adolescent. Il dut admettre qu'il y avait certainement de meilleurs moyens de passer son temps que de regarder la télé. À la place, il pourrait faire quelque chose – n'importe quoi – pour poursuivre ce rêve qu'il avait de connaître une vie meilleure que celle de ses parents. Puis, il tourna la page.

Changez vos pensées et votre conduite. Non seulement changerez-vous, mais encore vous changerez le monde qui vous entoure.
Quelle que soit la quantité d'énergie psychique que vous transmettez au monde qui vous entoure, elle vous sera rendue.
Plus vous consacrerez d'énergie positive à vous créer une vie heureuse et réussie, plus cette énergie se manifestera dans le monde réel.

Sheldon pensa : «Voilà certainement un bon moyen d'accentuer l'importance d'avoir une attitude positive.» Pendant un petit moment, il continua à réfléchir à ce qu'il venait de lire. Puis, il se remémora les paroles que le révérend Thomas avait prononcées à l'église un dimanche matin. «Peu importe la façon dont vous envisagez les choses, les pensées négatives, cyniques et pessimistes qui émanent de votre esprit ne peuvent que se révéler destructrices pour l'esprit humain. Au contraire, les pensées créatives et positives vous aideront à libérer le potentiel de votre âme, de votre esprit et de votre corps.»

Le révérend Thomas avait été le seul maître à penser de Sheldon au cours de toutes ces années et lui avait toujours apporté un appui important pour qu'il continue à avoir une vie pleine. Sheldon ayant déménagé à Vancouver, il se trouvait privé des conseils perspicaces que le pasteur lui donnait. Les passages qu'il venait de lire dans *Le Petit Livre des secrets de la vie* lui rappelaient quelques-uns des bons conseils qu'il avait reçus.

Vos problèmes et vos ennuis sont des tests qui ont pour but de vous enrichir.

Vous ne réaliserez jamais la clarté que vous apporte la lumière tant que vous n'aurez pas vécu dans l'obscurité totale.

Soyez sûr d'une chose : le succès vous échappera tant et aussi longtemps que vous ferez ce qui vous est nuisible.

Est-il utile d'ajouter que vous connaîtrez la réussite lorsque vous accomplirez ce qui est bon pour vous?

Ces six passages, et spécialement le dernier, poussèrent Sheldon à penser avec un peu plus d'attention à la direction qu'il voulait donner à sa vie. Ses pensées se dirigèrent ensuite vers le paradoxe de la vie facile. Il l'imagina exactement de la façon dont Brock l'avait dépeint. «Peut être devrais-je faire ce qui est difficile et désagréable et terminer mon trimestre à l'université avant d'abandonner mes études. De cette manière-là, je n'aurais pas besoin de recommencer mon troisième trimestre si, un jour, je décide de terminer mes études», pensait Sheldon.

Après avoir pensé sérieusement à terminer son trimestre, Sheldon décida de consacrer les deux heures suivantes à étudier. Comme il était en train de devenir fou à travailler seul à la maison, il sortit et se dirigea vers un café-bar de Kitsilano qui s'appelait «Le Jardin des pains», où il allait de temps à autre étudier en sirotant un café et en regardant les belles passantes. Il emporta avec lui *Le Petit Livre du secret de la vie* au cas où il aurait besoin d'inspiration pour étudier.

Sheldon entra au Jardin des pains, se dirigea vers l'endroit où l'on passait les commandes et commanda un café ordinaire. Il aurait préféré un cappuccino mais n'avait pas vraiment les moyens de se l'offrir. Il s'assit à sa table préférée pour étudier, une petite table dans un coin près de la vitrine. De là, il pouvait à la fois observer le comptoir des commandes et ce qui se passait à l'extérieur.

Comme d'habitude, il éprouva de la difficulté à étudier de façon constante, et il passa une partie de son temps à observer les allées et venues des clients. Il prit même un journal qui traînait et feuilleta la section des sports pendant vingt minutes. Au bout d'une heure et demie, il estima qu'il avait assez étudié pour la soirée. Il ne s'était pas concentré sur ses études comme il l'avait planifié, mais il se sentait néanmoins fier d'avoir étudié quelque peu plutôt que de s'abrutir devant la télévision.

Au moment où il allait mettre ses livres et ses affaires dans son sac à dos, il eut la surprise de voir Brock, le propriétaire de la Mercedes 190 SL, qui sortait de la pièce adjacente, où beaucoup de clients allaient s'asseoir quand la pièce principale du café était pleine. Brock remarqua Sheldon immédiatement.

«Bonsoir, Sheldon, dit Brock. C'est incroyable que nous nous rencontrions une deuxième fois en si peu de temps.»

«Bonsoir, répondit Sheldon. Je trouve cela également étrange que nous nous rencontrions deux jours de suite.

– Le destin est parfois bizarre, dit Brock en souriant. Je vois que vous étudiez...

– Oh! Je viens de passer une heure et demie à étudier mon cours d'économie, mais j'étais sur le point de partir.

– Moi aussi, j'ai travaillé sur mon nouveau livre pendant les trois dernières heures. Au fait, comment se fait-il que vous soyez encore en train d'étudier? J'espère que vous avez changé d'avis en ce qui concerne l'idée d'abandonner vos études.

– Pas tout à fait. Mais j'ai pensé qu'il serait préférable que je finisse au moins cette troisième session avant de laisser tomber pendant une année. Il m'est arrivé une drôle de chose, depuis notre rencontre d'hier, qui a également influencé ma décision de terminer mon trimestre», répondit Sheldon.

Sheldon raconta à Brock comment il avait trouvé le *Petit Livre du secret de la vie*. Il le sortit de son sac à dos et montra à Brock la dédicace qui avait été écrite par le moine itinérant, et le lui mit dans les mains.

«Très intéressant, dit Brock, après avoir lu l'introduction qui était écrite sur la première page. Ensuite, il ouvrit le livre en son milieu.

Il est ridicule de rêver à ce qui aurait pu être.

Votre passé sera toujours ce qu'il a été; arrêtez d'essayer de le changer.

Apprenez à vivre sans vous sentir coupable pour vos erreurs ou votre passé, même si d'autres personnes s'en chargent.

Quoi que vous ayez fait, aimez-vous pour l'avoir fait.

Brock prit le temps de lire un autre passage.

Tout échec, aussi désagréable soit-il, n'est pas une erreur.

Les échecs sont vos meilleurs guides.

Ils sont nécessaires pour que vous appreniez ce que vous devez apprendre, pour que vous atteigniez les objectifs que vous vous êtes fixés.

Passez outre ces leçons, et les mêmes échecs continueront à réapparaître constamment.

Vous aurez appris votre leçon comme il faut lorsque votre conduite fera en sorte que les mêmes échecs auront cessé de réapparaître.

Brock rendit Le Petit Livre encore ouvert à Sheldon et lui dit : «J'ai l'impression que ce petit livre est une mine d'inspiration et de sagesse et un vrai trésor pour l'esprit. Vous devriez vous estimer heureux de l'avoir trouvé.

– En vérité, cela m'intrigue encore d'avoir trouvé ce livre, le jour précis où j'ai refusé le vôtre. Comme je vous l'ai dit alors, je ne voulais pas de livre sur la façon d'être créatif. C'est vraiment bizarre, étant donné que je n'aime pas ce genre de lecture.

– Comme je vous l'ai mentionné hier, essayez de faire un peu plus attention au synchronisme des événements, dit Brock. Faites-moi confiance et profitez du synchronisme des événements susceptibles de changer votre vie.

– Mon pasteur de Los Angeles me disait la même chose. Est-ce que cela vous arrive aussi de vivre de tels synchronismes? demanda Sheldon.

– Bien entendu, répondit Brock. Pendant que j'écrivais mon premier livre, il m'est arrivé à plusieurs occasions d'avoir besoin de renseignements ou d'un exemple en particulier pour illustrer un sujet donné. Et alors, l'exemple ou le renseignement dont j'avais précisément besoin surgissait de nulle part, d'une manière tout à fait inattendue. Mon expérience m'a montré que ces événements n'arrivent pas de façon accidentelle. Les personnes qui écrivent sur ce sujet disent que notre propre énergie est en mesure de créer ce synchronisme. Je ne suis cependant pas un expert du synchronisme. Souvenez-vous, mon domaine est le paradoxe de la vie facile.

– Ouais, bien sûr, dit Sheldon. J'ai réfléchi et je pense que vous ne pratiquez pas ce que vous prêchez. Vous n'arrêtez pas de violer votre propre règle de vie et vous vous attendez à ce que les autres la suivent.

– Vraiment? coupa Brock, un peu surpris par ce qu'il venait d'entendre.

Sheldon hésita un peu et continua : «En toute honnêteté, cela me hérisse de penser que vous ne travaillez que quatre à cinq heures par jour et que vous avez un revenu plus que convenable alors que d'autres personnes mènent une vie de chien, travaillent deux fois plus fort que vous et ont un revenu ridicule par rapport au vôtre.

– Sheldon, vous avez évoqué là un point intéressant et vous faites preuve d'un bon sens de l'observation, tout au moins en surface, dit Brock. Toutefois, si vous examinez bien les faits comme il faut, vous vous apercevrez que cela n'a aucun rapport. Tout d'abord, j'ai emprunté une voie difficile et désagréable pour arriver où je suis aujourd'hui. J'ai payé pour cela. La plupart des gens ne risqueront de passer une seule semaine sans chèque de paie. Ils ne risqueront pas plus de perdre leurs économies en publiant un livre à leurs propres frais, comme je l'ai fait.

«Ensuite, je suis totalement efficace pendant mes heures de travail. La plupart des gens sont trop paresseux pour apprendre les techniques que j'utilise religieusement. J'accorde une attention particulière à ce qui est important et je néglige ce qui ne l'est pas. La plupart des gens prennent la voie facile en ne faisant pas attention à ce qu'ils font. Ils consacrent la plus grande partie de leur temps à s'occuper de choses insignifiantes et à négliger ce qui est vraiment important.»

«Enfin, je travaille pour moi-même. Cela signifie qu'il me faut créer mon propre projet de travail et me motiver constamment pour le voir aboutir. En général, les gens qui travaillent pour des organismes sont incapables de savoir quoi faire s'ils n'ont pas des directives bien précises. Leur travail doit leur arriver tout préparé. En vérité, travailler pour quelqu'un ne requiert pas le quart de la motivation, de l'intelligence et de la créativité qu'il faut pour travailler à son compte et... en vivre décemment.

– D'accord, vous avez raison, répondit Sheldon. Cela n'a pas dû être facile d'arriver là où vous êtes, mais j'aimerais bien avoir la chance de pouvoir un jour mener une vie comme la vôtre.

– Comme je vous l'ai dit hier, vous pouvez accomplir beaucoup plus que vous ne le pensez. Faites bien attention à la maxime de la première page de votre petit livre, celle qui vous met au défi de faire quelque chose de vos pensées. Oprah est arrivée à accomplir quelque chose d'intéressant parce qu'elle a bien utilisé ses idées. Vous pouvez y arriver, vous aussi.»

Brock fit une pause et lui dit : «Tenez, que faites-vous mercredi soir?»

– C'est ma soirée de congé. À part une ou deux heures d'étude, ce que je peux également faire dans la journée, je n'ai rien prévu de spécial. Pourquoi me posez-vous cette question?

– Je suis instructeur pour trois conférences sur la croissance personnelle pour les adultes, dans le cadre d'un programme gouvernemental pour l'aide à la carrière et au développement individuel. Je base ma conférence sur le paradoxe de la vie facile et je montre aux personnes présentes comment prendre leur vie en main pour atteindre la réussite.

J'aurais besoin d'un assistant pendant ces trois conférences pour m'aider à l'inscription et à la manipulation de l'ordinateur portatif pendant les projections. Je peux vous donner 25 dollars l'heure pendant les quatre heures. Je ne parle que pendant trois heures. Il n'y a pas grand-chose à faire pendant que je donne la conférence. De cette façon-là, vous pourrez voir l'impact que peut avoir une telle réunion et gagner cent dollars par la même occasion.

– Vingt-cinq dollars l'heure! Je n'en gagne que huit au café Starbucks! Vous pouvez compter sur moi; cet argent me sera utile.

– Ne le faites pas seulement pour l'argent, mais aussi pour ce que vous pourrez y apprendre. C'est de cette façon-là que vous devez choisir n'importe quel travail, y compris votre carrière. J'espère que ces conférences seront une source d'inspiration pour réaliser de grandes choses à l'avenir, et que les cent dollars que vous gagnerez à chaque conférence ne représenteront qu'un bonus pour m'avoir donné un coup de main.»

Brock fit une pause et regarda par la fenêtre. «Je dois me rendre à un rendez-vous en ville. Puis-je vous déposer quelque part, si vous allez dans cette direction-là?

– En fait, j'aimerais beaucoup faire un tour dans votre voiture.»

Ils sortirent du café. Sheldon anticipait avec plaisir la balade en Mercedes 190 SL. «Où est votre auto?» demanda-t-il.

– Juste ici, répondit Brock en souriant et en se dirigeant vers la porte du conducteur d'une Porsche Carrera 924 décapotable, dont le toit était abaissé et qui était garée en face du café.

– Vous possédez également une Porsche 924! répondit Sheldon. C'est une autre de mes voitures de rêve. Elle est argent, ma couleur préférée.

– La 924 et la 190 SL sont mes jouets pour l'été. Je possède également une Lexus pour les mois plus froids.

– Une Lexus? Comment avez-vous pu acheter ces trois voitures et payer au complet votre maison en moins de sept ans?

– Demeurez dans mon sillage, mon garçon, et vous apprendrez beaucoup de choses. Faites bien attention à ce que je dirai quand je parlerai du paradoxe de la vie facile pendant les conférences. Commencez par suivre les principes qui y sont rattachés et vous pourrez vous achetez votre 190 SL ou votre 924 dans quelques années – si, bien sûr, c'est vraiment ce que vous voulez dans la vie.»

Sans vraiment pouvoir s'expliquer pourquoi, Sheldon avait hâte de participer à la première conférence de Brock. Bien sûr, les cent dollars y étaient pour quelque chose, mais il trouvait également amusant de faire quelque chose qui le distrairait de ses cours universitaires. Sheldon doutait encore un peu des conseils de Brock en ce qui concernait le paradoxe de la vie facile, bien que son petit livre lui disait qu'il ne devait pas se méfier.

Ouvrez votre esprit aux idées différentes des autres.
Les opinions des personnes qui vous font le plus peur peuvent bien être celles qui renferment le plus de sagesse et qui vous aideront le plus.

Chapitre II

VOTRE PERCEPTION FINIRA PAR DEVENIR VOTRE RÉALITÉ
PERSONNELLE JUSQU'À UN CERTAIN POINT.
RECHERCHEZ LE PIRE DE LA VIE ET VOUS LE TROUVEREZ.
RECHERCHEZ LE MEILLEUR ET VOUS LE TROUVEREZ ÉGALEMENT.

À 18 heures le mercredi suivant, Sheldon arriva à l'hôtel Landmark, dans la rue Robson. C'est là que la conférence de Brock devait commencer une heure plus tard. Habillé d'un pantalon noir impeccablement repassé et d'une chemise bleue qui avait dû lui coûter très cher, Brock était déjà à l'hôtel et accueillit chaleureusement Sheldon. Ce dernier commença par l'aider à installer le système audio et le projecteur dans l'auditorium. Brock lui donna ensuite un cours accéléré pour lui montrer le fonctionnement de l'ordinateur portatif et les fonctions qui permettent de projeter l'information sur l'écran qui se trouvait là.

Les participants commencèrent à arriver. Sheldon s'occupa des inscriptions et donna à chacun un macaron portant leur nom. Il y avait un nombre à peu près égal d'hommes et de femmes, la moitié dans la vingtaine, l'autre moitié plus âgée, y compris un homme qui devait être dans la cinquantaine avancée.

Une fois les inscriptions terminées, Sheldon s'assit à côté de l'ordinateur portatif de Brock. Pendant qu'il attendait que Brock commence, il sortit *Le Petit Livre du secret de la vie* qu'il avait apporté avec lui au cas où il s'ennuierait. Il l'ouvrit au hasard pour voir quel serait le passage qui se présenterait à ses yeux.

Prenez garde aux pensées négatives.
Elles ont mille fois plus de force pour provoquer
l'échec et le malheur que les pires circonstances
ne le pourront jamais.

Il lut aussi le texte qui était écrit sur la page opposée.

Votre bonheur futur dépend de ce que vous faites aujourd'hui. La question à se poser est celle-ci : quelle sera la semence de bonheur que je sèmerai avant la fin de la journée?

À sept heures précises, Brock gravit l'estrade et se dirigea derrière un lutrin sur lequel il avait placé des notes, un petit carnet et un verre d'eau. Il ajusta ses écouteurs et son microphone, avant de tourner lentement la tête de gauche à droite, ses yeux bruns au regard d'aigle scrutant l'assemblée. En quelques secondes, le silence se fit dans la salle.

Sheldon éprouvait une sensation bizarre mais stimulante à observer un conférencier professionnel faire son travail. À partir de l'instant où Brock commença à parler, Sheldon se trouva comme envoûté. Un changement de personnalité manifeste s'opéra chez Brock qui, d'homme de la rue, se transformait en conférencier. Devant une assemblée, il faisait preuve d'une énergie et d'un dynamisme décuplés. En présence de soixante-treize personnes, il y avait quelque chose dans sa maîtrise de soi et dans son aisance qui donna le frisson à Sheldon. Comment pouvait-il à la fois faire preuve d'autant d'intensité et d'autant de calme? se demandait Sheldon.

Brock parla pendant trois heures. Sa voix passa par toute une gamme d'émotions. À plusieurs reprises, il lui arriva presque de crier pour créer un effet spécial; parfois, sa voix devenait presque un murmure mais, le reste du temps, il parlait fort et de manière affirmative. L'expression sur son visage pouvait tout aussi bien refléter la chaleur que l'indifférence totale. Il lui arrivait d'esquisser un sourire pendant les passages les plus humoristiques de la conférence. Brock pouvait être tout aussi bien charismatique et fascinant à voir qu'arrogant et abrasif. Une chose était certaine : il n'était pas ennuyeux comme la majorité des professeurs et des instructeurs que Sheldon avait connus au cours des années.

Brock commença la conférence d'une voix forte et ferme qui, amplifiée par les haut-parleurs, donnait l'impression qu'il criait.

«JE M'APPELLE BROCK MELLOR. JE SUIS VOTRE CONFÉRENCIER. J'AI ÉTÉ ENGAGÉ PAR LE DÉPARTEMENT CHARGÉ DU DÉVELOPPEMENT PERSONNEL ET DU CHOIX DE CARRIÈRE POUR VOUS AIDER À MENER

UNE VIE PLUS INTÉRESSANTE. VOUS AVEZ DÉJÀ PARTICIPÉ À UNE SÉRIE DE CONFÉRENCES PORTANT SUR L'IMPORTANCE DE POURSUIVRE UNE CARRIÈRE OÙ VOUS POURREZ VOUS ÉPANOUIR. MON DEVOIR EST DE VOUS AIDER À ATTEINDRE LE SUCCÈS ET LA SATISFACTION PERSONNELLE NON SEULEMENT DANS VOTRE TRAVAIL, MAIS AUSSI DANS VOTRE VIE PRIVÉE.

LES PRINCIPES QUE JE VAIS PARTAGER AVEC VOUS PENDANT LES TROIS CONFÉRENCES AUXQUELLES VOUS ALLEZ PARTICIPER SONT DES PRINCIPES QUI PEUVENT CHANGER RADICALEMENT VOS VIES. ILS SONT TRÈS EFFICACES, MAIS IL EST POSSIBLE QUE CERTAINS D'ENTRE VOUS LES REMETTENT EN QUESTION. D'AUTRES PERSONNES PEUVENT FAIRE PREUVE DE RÉSISTANCE QUANT À LEUR APPLICATION, D'AUTRES ENCORE VONT FINIR PAR LES DÉTESTER. LE CHOIX EST LE VÔTRE, MAIS SOYEZ ASSURÉS QUE SI VOUS IGNOREZ CES PRINCIPES, VOUS METTREZ DES LIMITES CONTRAIGNANTES À VOTRE RÉUSSITE PERSONNELLE, FINANCIÈRE ET PROFESSIONNELLE.

«Je me fais l'avocat de ces principes parce que je sais qu'ils fonctionnent. Je les ai rigoureusement appliqués avec beaucoup de succès au cours des dix dernières années. À l'époque, je n'avais pas grand but dans la vie et, en plus, mes dettes s'élevaient à 40 000 dollars. Depuis, je me suis forgé une carrière que j'aime et un mode de vie que je ne changerais pour rien au monde. À l'heure actuelle, je ne travaille que quatre à cinq heures par jour et je gagne deux fois plus d'argent que 90 pour cent des gens qui travaillent deux ou trois fois plus que moi.

«Vous pouvez arriver au même résultat que moi – et qui sait, faire mieux encore – si vous le désirez suffisamment. Les conseillers du Département du développement personnel et du choix de carrière m'ont confié, au cours de la période d'évaluation, que vous possédez tous énormément de talent et de potentiel. Et pourtant, pour une raison obscure, vos réalisations sont en-deçà de ce qu'elles devraient être. Il est de mon devoir de vous donner les moyens d'organiser vos vies pour que vous atteigniez les objectifs qui vous tiennent à cœur.

«Un dernier mot sur cette entrée en matières, avant que nous entrions dans le vif du sujet : je veux tout de suite vous dire que je n'ai pas l'intention de vous donner une conférence sous une forme que l'on pourrait qualifier de "magistrale". J'ai été très influencé par des paroles de

Stephen Leacock[1] : "La plupart des gens se fatiguent d'une conférence au bout de quinze minutes, les gens intelligents au bout de cinq, et les personnes très intelligentes n'y assistent tout simplement pas!"»

Cela provoqua une vague de rires nerveux parmi l'assemblée. Brock, quant à lui, continua sans que son visage ait affiché quelque expression que ce soit :

«Comme je sais que vous êtes tous des personnes très intelligentes, il serait vain de ma part de vouloir parler *ex-cathedra*. C'est pourquoi je vous encourage à prendre part activement à cette conférence, à poser toutes les questions que vous voudrez sur ce que je dirai et aussi, à partager avec vos voisins les expériences que vous avez pu avoir et qui ont un lien avec le sujet. Je vous ferai aussi faire plusieurs exercices, et je m'attends à ce que vous y participiez.»

La voix de Brock baissa de plusieurs décibels et il continua en ces mots : «Nous allons commencer par le principe le plus important qui vous fera connaître une plus grande réussite, plus de satisfaction et plus de bonheur. C'est ce que j'appelle "le paradoxe de la vie facile". Cette règle, ou ce principe, est à la base même du sujet dont nous allons traiter pendant ces trois conférences.»

Brock, alors, s'avança d'un pas léger vers l'endroit où Sheldon était assis, et lui demanda de commencer la projection du diagramme du paradoxe de la vie facile sur l'écran qui était situé au-dessus d'eux. Le diagramme sur l'écran était absolument identique à celui que Brock avait tracé pour Sheldon; la seule différence était qu'on le lisait mieux et plus facilement.

---

[1] Essayiste, professeur, économiste et historien canadien (1869-1944). Auteur d'une soixantaine d'ouvrages, dont *Un été à Mariposa; croquis en un clin d'œil*, il fut également un humoriste réputé jouant habilement d'une forme d'humour héritée du génie britannique du genre. (N.d.T.)

LE PARADOXE DE LA VIE FACILE

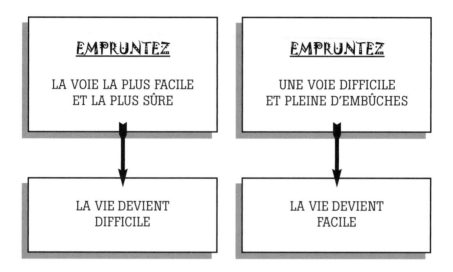

Brock désigna le côté gauche du diagramme et dit : «Le paradoxe de la vie facile nous enseigne que, lorsque nous empruntons une voie facile et rassurante, la vie finit par être difficile et pénible. Quatre-vingt-dix pour cent de la population choisit ce chemin parce que le résultat à court terme est plus satisfaisant. Nous choisissons délibérément de ne pas voir les conséquences négatives à long terme qui en découlent parce que nous espérons atteindre un résultat positif et immédiat.»

Brock, ensuite, montra le côté droit du diagramme et continua à parler. «L'autre option qui s'offre à nous est de prendre une voie difficile et pénible. Lorsque nous choisissons cette option, notre vie se terminera dans la facilité et le confort. Les personnes qui choisissent cette voie doivent connaître des difficultés à court terme pour obtenir des gains importants à long terme.

«Laissez-moi vous prévenir : le paradoxe de la vie facile obéit aux mêmes principes que les lois de la gravitation universelle. Essayez donc d'échapper à cette loi en vous promenant sur le toit d'un immeuble et en faisant fi du vide, et vous verrez ce qui vous arrivera. Vous risquez de vous infliger quelques bosses... La même chose s'applique au paradoxe de la vie facile : essayez d'y échapper en prenant la voie la plus facile, et vous finirez également par terre. C'est obligatoire. Vous allez peut être vouloir me faire porter le blâme, mais ce n'est pas moi qui ai défini ces principes. Je n'ai fait qu'observer que la vie est ainsi faite et que nous devons nous en accommoder.»

Brock, à ce moment-là, se plaça directement face à l'auditoire. Il s'éloigna d'un mètre ou deux de la tribune et dit :

«Comprenez bien que le paradoxe de la vie facile affecte chaque facette de nos vies et la satisfaction que nous trouvons dans notre travail par nos gains financiers, nos amitiés, notre mariage, notre façon d'élever nos enfants, notre santé, nos amours et nos loisirs. L'intensité que vous mettrez à appliquer cette règle déterminera le degré de réussite, de satisfaction et de bonheur que vous atteindrez au cours de toute votre vie.

«Prenons un exemple. Disons que vous commencez à travailler comme courtier en valeurs mobilières. Le courtier moyen doit donner une quinzaine de coups de téléphone de sollicitation à froid par jour. Vous pouvez très bien décider que vous n'en donnerez que cinq. De cette façon-là, vous essuierez moins de rejets. Il est évident que votre vie finira par être difficile et pénible. Il est clair que vous ne gagnerez que très peu d'argent. En fait, vous finirez probablement par vous faire mettre à la porte à plus ou moins brève échéance.»

«D'un autre côté, si vous décidez de prendre le chemin le plus ardu en donnant environ trente-cinq coups de fil par jour, toujours en comparant avec le chiffre habituel de quinze, vous expérimenterez certainement plus de rejets. Votre vie, cependant, finira par être facile et agréable parce que vous aurez établi une foule de contacts. Votre chiffre d'affaires sera également beaucoup plus important et il se peut bien que vous deveniez le meilleur courtier de la société pour laquelle vous travaillez.

«Ceci n'est qu'un exemple parmi tant d'autres que je peux vous donner sur la façon dont le paradoxe de la vie facile peut s'appliquer à nos vies. Le problème qui se pose lorsque nous choisissons la voie facile est qu'à long terme, cette voie deviendra semée d'embûches fort désagréables. Le plus grand obstacle à la réussite est l'inconfort que nous devons éprouver en faisant ce qui est nécessaire pour atteindre la réussite. D'une façon impulsive, nous sommes toujours attirés par la facilité. Nous choisissons la voie facile parce que nous recherchons à tout prix ce qui est rassurant.»

Brock éleva la voix de façon significative et poursuivit : DANS LA VIE, LORSQUE VOUS CHOISIREZ LA VOIE FACILE, IL Y AURA TOUJOURS UN PROBLÈME MAJEUR : VOUS FINIREZ, D'UNE MANIÈRE OU D'UNE AUTRE, DANS UNE ORNIÈRE. LA DIFFÉRENCE ENTRE UNE ORNIÈRE ET UNE TOMBE SE RÉSUME À UNE QUESTION DE DIMENSIONS.

Des rires fusèrent à travers la salle avant que Brock puisse continuer.

«DANS LE FOSSÉ, VOUS REJOINDREZ LES MORTS-VIVANTS ET DANS LA TOMBE, LES VRAIS MORTS.»

(Rires additionnels)

Brock fit une pause de quelques secondes avant de continuer d'une voix ferme et un peu plus basse.

«Si vous voulez vraiment avoir la sensation de vivre et ressentir de la satisfaction personnelle, vous devez vous concentrer sur ce qui est difficile et désagréable à faire en premier, afin de bien vous organiser. Il est difficile et désagréable de faire *vraiment* attention à ce qui est *vraiment* important dans la vie. Il est difficile et désagréable de faire des économies. Il est difficile et désagréable de respecter nos engagements. Malgré l'inconfort et les difficultés engendrés par toutes ces choses, je vous suggère d'abandonner votre confort actuel et de commencer à agir. Il doit y avoir plus de cent différents domaines de votre vie actuelle pour lesquels vous avez choisi la voie facile à ce moment précis.»

À ce moment-là, Erica, une jeune femme mince et ravissante qui devait avoir à peu près vingt-cinq ans, essaya de capter l'attention de Brock et l'interrompit : «Monsieur Mellor...» commença-t-elle.

Brock jeta un coup d'œil à l'étiquette qui portait le nom de la jeune femme et lui répondit : «Erica, s'il-vous-plaît, appelez-moi Brock, tout simplement ou alors je me sentirai encore plus vieux que je ne le suis.»

Ce commentaire provoqua quelques rires étouffés avant qu'Erica puisse continuer d'une voix enjouée. «Brock, pardonnez-moi de vous faire cette remarque, mais vous me semblez être le pire des sadiques!

Avec votre paradoxe de la vie facile, vous ne faites que nous promettre souffrances et austérité.»

Brock se déplaça sur l'estrade pour se rapprocher de l'endroit où était assise Erica.

«Permettez-moi de ne pas partager votre avis, répondit-il après un léger temps d'arrêt. Je ne suis pas un sadique et je ne me fais pas l'avocat d'une vie de *souffrances*. Je ne me fais certainement pas l'avocat d'une *souffrance* à long terme – si c'est ce que vous voulez dire. Je suis pour la *souffrance* à court terme pour ne pas que vous ayez à supporter de *souffrances* à long terme.

«Il est certain, Erica, que pour éviter de souffrir aujourd'hui, il est plus facile d'être brouillon qu'ordonné. Il est plus facile de dépenser l'argent que de l'économiser. Il est plus facile et agréable d'ignorer les choses importantes que d'y faire attention. Il est plus facile et agréable de rompre ses engagements que d'y faire face. Malheureusement, de telles actions vous rendront la vie difficile et désagréable à long terme parce qu'elles vous déroberont la réussite, la satisfaction, le succès et le bonheur. Le paradoxe de la vie facile fait de moi un adepte d'un certain inconfort pour le moment présent, ce qui me procurera en retour beaucoup de satisfaction et de bonheur à long terme.

«Donc, Erika, je le répète : je ne suis pas un sadique et je ne prône pas une vie remplie de *souffrances*. Gardez bien à l'esprit que je ne travaille que quatre à cinq heures par jour. J'ai un mode de vie bien plus équilibré que quatre-vingt-dix pour cent des Nord-Américains. Je ne peux appeler cela *souffrir*. À l'encontre de bien des personnes, ma vie personnelle et professionnelle me donne entière satisfaction.

– J'ai vraiment l'impression que vous aimez beaucoup votre vie parce qu'elle est facile», dit Erica en souriant.

– Pas vraiment, répondit Brock. Je suis arrivé là où je suis lorsque j'ai réalisé, un jour, que les personnes vraiment sages ont raison lorsqu'elles disent que le vrai bonheur ne peut exister chez les oisifs qui passent leur temps à dormir, à se détendre et à faire la fête. Il se peut bien que je travaille moins d'heures par jour que la majorité des gens, mais j'accomplis plus de choses difficiles et désagréables pendant ces quatre heures qu'ils n'en accomplissent en huit ou douze heures.»

Brock poursuivit : «J'aimerais résumer ma réponse à votre question initiale, Erica. Ne pensez pas que le fait de prendre la voie difficile et désagréable soit automatiquement synonyme de souffrance. Prenez plutôt cette voie comme étant le prix à payer pour l'avenir. En effet, vous pourrez vous sentir satisfaite et heureuse quand vous saurez que vous payez à l'heure actuelle le prix d'un avenir porteur de grandes récompenses.

– D'accord, si on pose le problème de cette façon-là, je suis de votre avis, dit Erica. Je mène déjà ma vie de cette manière-là; peut-être pas de façon aussi poussée que vous, mais je le fais.

– Magnifique, je suis heureux d'avoir au moins une personne de mon côté dès le début de cette rencontre. Il est toujours plus facile de prêcher à des convertis», dit Brock.

Il retourna vers le centre de la tribune et continua : «Il n'est pas difficile de voir que le paradoxe de la vie facile a des applications dans tous les domaines de notre vie. Beaucoup d'adultes violent ce principe pour de multiples raisons tout au long de leur existence. D'un autre côté, les personnes qui ont vraiment réussi dans la vie le suivent. Elles réalisent qu'elles doivent y obéir jusqu'à la fin de leurs jours si elles veulent continuer à connaître la réussite et le bonheur. Étant donné que vous n'êtes plus des enfants, vous avez dû, tous autant que vous êtes, apprendre que rien d'important ne peut arriver facilement. Vous devez payer le prix d'un léger inconfort pour vous assurer un bonheur à long terme.

«Afin de donner plus de poids à ce que je viens de vous dire, je voudrais ajouter que des enfants âgés de dix ans et plus voient énormément d'applications au paradoxe de la vie facile. Mon amie Silvina enseigne dans une école pour délinquants. Elle a fait connaître les principes du paradoxe de la vie facile à des adolescents de treize et quatorze ans. À son grand étonnement, ces jeunes ont très bien accueilli les principes du paradoxe et ont présenté des exemples où ce dernier s'applique tout spécialement à eux. Voici quelques commentaires que Silvina a recueillis.»

Brock fit signe à Sheldon de projeter une nouvelle image sur l'écran, avant de commencer à lire tout haut ce qui était écrit.

Comment les jeunes adolescents se situent vis-à-vis du paradoxe de la vie facile

• *L'élève n°1 déclare* : «Si j'emprunte la voie facile et que je ne me brosse pas les dents, j'aurai des caries, je devrai endurer la douleur et mon père sera obligé de payer des factures de dentiste.
Au contraire, en prenant la voie plus difficile et en me brossant les dents tous les jours, j'aurai de belles dents et n'aurai qu'un minimum d'obturations à l'âge adulte.»

• *L'élève n° 2 constate* : «La voie facile me suggère de regarder la télévision au lieu d'étudier, ce qui me conduira obligatoirement à un échec scolaire; je devrai recommencer mon année et mes parents seront furieux contre moi.
Si, au contraire, j'étudie, ce qui est difficile et désagréable, j'obtiendrai de bonnes notes et je pourrai aller à l'université, ce qui m'assurera une bonne situation à l'âge adulte.»

• *L'élève n° 3 avoue* : «J'ai pris la voie facile en mangeant des cochonneries; cela m'a fait grossir et j'ai honte de moi. Je vais devoir prendre la voie difficile et désagréable, et manger des repas équilibrés pour perdre du poids.»

• *L'élève n° 4 remarque* : «L'argent vite gagné en vendant de la drogue peut provoquer des drames familiaux, engendrer des situations dangereuses, mener à la prison et à la mort.»

Quand il eut fini, Brock ajouta : «Il est remarquable que même de jeunes adolescents reconnaissent les bénéfices que l'on peut tirer dans l'avenir en payant aujourd'hui le prix de l'effort. Si seulement ces élèves pouvaient comprendre dès le début de l'adolescence les bienfaits rattachés au respect du paradoxe de la vie facile et l'appliquer à leur propre vie! En fait, si chacun d'entre nous agissait de la sorte, nous aurions bien moins de problèmes et connaîtrions beaucoup plus de réussites.»

Brock s'arrêta un instant et se dirigea vers le pupitre pour jeter un coup d'œil à ses notes.

«Examinons où commencent les tribulations de nos vies. Nos problèmes – spécialement les plus sérieux – surviennent à cause de certaines idées préconçues. Pour une raison étrange, les êtres humains pensent qu'il est plus facile d'entretenir ce genre d'idées – qui ne fonctionnent d'ailleurs pas – que de fournir un peu d'énergie pour essayer d'en adopter de nouvelles qui, elles, pourraient fonctionner. Voilà vraiment le premier point sur lequel vous devez mettre en pratique le paradoxe de la vie facile.»

«Il est important que vous preniez le temps nécessaire pour remettre en question vos idées préconçues – spécialement celles auxquelles vous tenez le plus. Cela peut vous paraître très difficile et désagréable à accepter, mais un fait demeure : ce sont les idées préconçues auxquelles vous tenez le plus qui sont les plus pernicieuses pour votre santé mentale. En fait, toute croyance pure et dure se termine par une forme de maladie qui entre en contradiction avec notre bien-être psychologique.»

Tout à coup, un homme barbu, dans la trentaine, aux cheveux blonds embroussaillés, leva la main et, sans attendre que Brock lui donne la parole, fit la remarque suivante :

«Brock, pouvez-vous me dire ce qu'il y a de mal à avoir des idées préconçues? Nous avons besoin de ce genre d'idées pour arriver à fonctionner dans la vie. Sans convictions, nous n'aurions pas l'encadrement nécessaire nous permettant de fonctionner.»

– Brent, nous avons tous besoin d'un cadre qui nous donne des valeurs et des façons différentes de fonctionner en tant qu'êtres humains, répliqua Brock. Cependant, nous devons sans relâche remettre en question ces valeurs et ces façons de voir, en particulier lorsque nous avons affaire à des idées préconçues bien établies. La plupart des idées préconçues des êtres humains – spécialement celles qui touchent le bonheur et la satisfaction personnelle – ne sont souvent que des suppositions erronées, des mythes ou de la fiction pure et simple.

«Par exemple, une des idées préconçues les plus populaires dit que la vie est facile. Et pourtant, pas un seul être humain n'a la vie vraiment facile. Nous devons tous faire face à des problèmes et à des difficultés reliés à notre place dans la société. De façon surprenante, les personnes riches et célèbres ont tout autant de problèmes que nous et, dans certains cas, encore plus. Il suffit de parcourir les journaux de façon régulière pour constater tous les sérieux problèmes que ces gens-là peuvent avoir.

«Il existe une autre croyance que l'on peut associer à celle qui dit que la vie devrait être facile : c'est celle voulant que l'on puisse bénéficier éventuellement des faveurs de Dame fortune, bref, d'un fantastique coup de pot. Nous aimons tous penser qu'un coup fumant se produira. Celui-ci pourrait prendre la forme d'un gain à la loterie, d'une relation idéale avec un autre être ou même de la rencontre de quelqu'un qui, tel un *deus ex-machina*, nous sauvera miraculeusement et nous rendra la vie facile et aisée. Faites-moi confiance : ce coup fumant n'a que très peu de possibilités de se produire pour vous sortir de tous vos problèmes et de votre désespoir. Vous aurez toujours des problèmes et votre bonheur, indépendamment de la richesse que vous aurez acquise, dépendra d'un millier d'autres choses que l'argent ne peut acheter. Cependant, nous allons examiner de plus près le rapport entre l'argent et le bonheur.»

Brock continua : «Donc, et je me répète, vous avez intérêt à faire ce qu'il y a de difficile et de désagréable et d'admettre que certaines de vos idées préconçues sont suspectes. En effet, vos idées préconçues sont peut-être les obstacles les plus importants à votre accession à la satisfaction et au bonheur auxquels vous prétendez. Certaines idées préconçues mènent votre vie et vous dérobent votre bonheur et votre bien-être. Et si, par malheur, vos idées préconçues font de vous un fanatique – qu'elles soient de nature religieuse, politique, économique, ou qu'elles aient un rapport avec l'environnement – vous frisez la folie.

«L'esprit humain nous pose un problème de taille : il aime à croire uniquement ce qu'il veut bien croire. Il va croire à des choses qui n'ont aucun rapport avec la réalité, des choses qui sont mauvaises, pour le monde extérieur comme pour lui-même. C'est que l'esprit humain tient à avoir toujours raison, peu importe le prix à payer. Malheureusement, le fait de vouloir avoir raison à tout prix, qu'il s'agisse de nos idées préconçues ou de n'importe quoi d'autre, est tout à fait similaire à la situation d'un héros mort : il n'y a aucune récompense.

«Vous feriez beaucoup mieux de remettre en question vos idées préconçues, même celles qui vous tiennent le plus à cœur, plutôt que de penser constamment qu'elles sont bonnes et de vous y accrocher à tout prix. Vous devez également encourager votre esprit à aller à l'encontre de nouvelles idées qui ne pourraient surgir d'aucune autre manière. Votre esprit demeurera alerte et ouvert au monde tel qu'il est vraiment, et non au monde tel que vous *aimeriez* qu'il soit. Si vous ne faites pas constamment l'effort de remettre en question vos idées préconçues les plus chères, votre perception de la réalité s'en trouvera certainement faussée. Et, c'est en persistant dans ces croyances erronées que vous continuerez à vous éloigner de la réussite, de la satisfaction personnelle et de toute réalisation.»

Brock regarda vers le fond de la salle et remarqua qu'une main s'était levée. Elle appartenait à Ben, le plus âgé de tous les participants de la conférence, un homme légèrement voûté, aux cheveux clairsemés et portant des lunettes.

«Oui, Ben?» dit Brock.

– Brock, chacun d'entre nous possède une perception différente de la réalité. Cela ne veut pas dire qu'une de ces perceptions soit plus exacte qu'une autre, déclara Ben. Comment pouvez-vous affirmer que votre interprétation de la réalité soit meilleure que la mienne ou que celle de n'importe qui d'autre dans cette salle?»

Sheldon écoutait avec attention les débats qui avaient lieu. Il se remémora un passage qu'il avait lu un peu plus tôt dans *Le Petit Livre secret de la vie*, et feuilleta rapidement le petit ouvrage jusqu'à ce qu'il la retrouve :

N'avez-vous jamais pensé que votre
perception de la réalité pouvait être fausse?
Si tel n'est pas le cas, elle est fausse à coup sûr!

Sheldon parcourut la maxime qui l'accompagnait.

Faites très attention à ce que vous
percevez comme étant la réalité.
Toute mauvaise perception constitue un mensonge.
Cela vous causera toutes sortes d'ennuis
au cours de votre vie.

Vous aurez de bonnes chances de finir en tant que spectateur
dans un monde rempli d'action et d'événements.

Pendant que Sheldon était en train de lire, il entendit la réponse que Brock faisait à Ben.

«Ben, il est vrai que nous interprétons tous la réalité d'une façon différente, mais seulement jusqu'à un certain point. Cependant, votre interprétation de la réalité doit se rapprocher le plus possible de ce qu'elle est vraiment, et non de ce que vous voudriez qu'elle soit ou de ce qu'elle devrait être. Une chose est certaine : il n'y a qu'une seule réalité et elle est la même pour tout le monde, indépendamment du fait que nous la percevons tous d'une façon différente. Il est absolument inutile de vouloir créer votre propre réalité. Cela peut être très dangereux et même, mortel.

– Je ne vois pas en quoi le fait d'avoir une perception unique de la réalité peut être mortel, répondit Ben.

– Je vais vous donner un exemple : disons que votre perception de la réalité vous fait croire que l'attraction terrestre n'existe pas. Vous risquez évidemment d'éprouver des problèmes majeurs. L'attraction ne disparaîtra pas parce que vous avez décidé de ne plus croire en elle. Supposons maintenant que vous soyez en train de marcher sur le toit d'un gratte-ciel; votre perception de la réalité sera beaucoup moins valide et beaucoup plus mortelle que la mienne parce que, moi, j'accepte et obéis aux lois de la pesanteur.»

(Rires contenus)

Brock continua en disant : «Ben, laissez-moi vous donner un autre exemple. Vous marchez au milieu d'une route et, tout à coup, vous voyez un autobus qui se dirige vers vous à quatre-vingts kilomètres à l'heure. Votre perception de la réalité ne sera valable que si elle vous fait comprendre que vous devez agir vite et sortir de la route, sous peine de devenir un beau mort. Il se peut bien que vous pensiez que l'autobus devrait s'arrêter. Le fera-t-il ou pas. C'est une autre affaire. Mais la perception que vous avez de l'autobus et de tous les autres aspects de la réalité a intérêt à être bonne, parce que la réalité se moque bien de la façon dont vous la percevez. Elle continuera d'être ce qu'elle est.»

Brock fit une courte pause pour regarder ses notes et continua : «Un des plus grands écarts entre la perception que les personnes ont de la réalité et ce qu'elle est en fait, est directement lié au degré de croyance que celles-ci ont d'être des victimes. En effet, dans notre société occidentale, une des activités les plus répandues est de nous ériger en victimes. En vérité, les personnes qui se perçoivent comme des victimes prennent la voie de la facilité en rejetant leurs problèmes sur les autres. Ces victimes autoproclamées évitent commodément d'être responsables de leur vie.»

«Les deux principales cibles que ces personnes prennent comme étant les sources de leurs problèmes les plus importants sont la société et le gouvernement. Il y en a une autre, qui est probablement leur préférée : leurs parents. Beaucoup de gens ayant ce profil de victime blâment leurs parents pour leurs problèmes d'adultes comme l'alcoolisme, les toxicomanies, les difficultés financières et les difficultés relationnelles. Cette façon d'être est autodestructrice et ne fait absolument rien pour améliorer leur qualité de vie.

– Je ne vois pas ce qu'il y a de mal à blâmer nos parents pour ce que nous sommes à l'heure actuelle...» avança Ursula, une blonde dans la trentaine avec un accent hollandais. Mes parents m'ont causé beaucoup de préjudices. J'ai eu une enfance pourrie. Mon père et ma mère m'ont maltraitée en ne me donnant pas l'amour et les autres choses qu'ils auraient dû me donner. S'ils avaient été de meilleurs parents, ma vie n'aurait pas été ratée à ce point...

– Voyons, Ursula. Qu'est-ce qui vous fait penser que votre vie devrait se poursuivre de la même manière parce que vous n'avez pas eu l'avantage d'avoir des parents parfaits? demanda Brock. Vous devez accepter le fait que ce ne sont pas vos parents qui, à l'heure actuelle, font que votre vie est ce qu'elle est.

– Je ne suis absolument pas d'accord avec vous, répliqua Ursula. Si mes parents s'étaient comportés comme les autres parents, ma vie ne serait pas aussi difficile à l'heure actuelle.

– Qu'est ce qui vous fait penser que vos parents aient été aussi épouvantables? Selon quels critères?

– Les miens, répondit sèchement Ursula.

– Eh bien, nous allons utiliser les miens, juste pour le plaisir de la discussion», suggéra Brock.

Il détourna ensuite son regard d'Ursula pour le diriger vers l'auditoire et lui posa une question d'ordre général.

«Qui donc, ici, peut dire qu'il ou elle a eu des parents parfaits ou presque parfaits?»

Tout le monde se regarda, et pas une seule main ne se leva.

Brock s'adressa de nouveau à Ursula : «Comme vous pouvez le constater, Ursula, personne ici présent n'a eu des parents parfaits ou presque parfaits...»

Brock s'adressa de nouveau à l'assemblée.

«Maintenant, qui donc, ici dans cette salle, pense que ses parents auraient pu faire mieux qu'ils ne l'ont fait?»

Cette fois, tous dans la salle, y compris Sheldon, levèrent la main.

Brock continua : «Ursula, je peux vous assurer que si je posais les deux mêmes questions dans une salle remplie par les individus qui ont le mieux réussi au monde, les réponses ne seraient pas différentes. Ce que je veux dire, c'est que personne au monde n'a eu des parents qui approchaient la perfection, et que pratiquement tout le monde pense que leurs parents auraient pu être de meilleurs parents qu'ils ne l'ont été.»

Ursula, qui était devenue toute rouge, laissa échapper d'une voix tremblante : «Si personne n'a eu des parents parfaits, cela ne veut pas dire qu'il n'y en a pas de meilleurs que d'autres.»

– La belle affaire! répondit Brock. Il existe des personnes qui ont eu d'excellents parents et qui ratent lamentablement leur vie. Il y a aussi des gens qui ont eu des parents vraiment mauvais et qui ont utilisé cette triste réalité pour se motiver à atteindre leurs rêves. Si vous voulez rater votre vie, toutes les excuses seront bonnes. Cela n'a aucun rapport avec la façon dont vos parents se sont comportés envers vous. Vous avez intérêt à arrêter de leur faire porter le blâme pour tout et à commencer à assumer la responsabilité de votre vie.

«Ursula, je puis vous assurer que la grande majorité des personnes qui ont réussi dans la vie avaient des parents pires que les vôtres. Elles n'ont pas pour autant rejeté le blâme de leurs échecs sur eux, mais ont pris ce que leurs parents leur avaient enseigné et en ont tiré le meilleur parti possible. Vous devez accepter le fait que vos parents ont fait du mieux qu'ils ont pu compte tenu des circonstances. Leurs défauts et les mauvais traitements – puisque vous appelez cela ainsi – ont été le résultat de leur propre éducation, de leurs valeurs, de leurs idées préconçues et de leurs appréhensions. Comment pouvaient-ils être de meilleurs parents s'ils n'en avaient pas les compétences?»

Ursula haussa les épaules et ne répondit rien.

Brock poursuivit : «Pour être soi-même une personne vraiment efficace et un meilleur parent, nous avons intérêt à oublier à long terme tout ce que nos parents ont fait de travers. Au lieu de fixer votre attention sur ce qu'ils ont fait de mal, dirigez-la plutôt vers tout ce qu'ils ont fait de bien. Dans la plupart des cas, ceux et celles qui font ce petit exercice se rendent compte que leurs parents faisaient cinq fois plus de bonnes choses que de mauvaises. Le fait de blâmer ses parents équivaut à un frein qui nous empêche d'aller de l'avant et de progresser. Si vous voulez que votre vie soit meilleure dans un proche avenir, arrêtez donc de vous poser en victime aujourd'hui.»

Il était évident qu'Ursula faisait objection à tout ce que Brock disait. D'une voix mal assurée, elle rétorqua : «On a le droit de faire porter le blâme à nos parents. Tout le monde sait qu'il y a énormément d'enfants maltraités. Il existe, même aux États-Unis, un groupe de soutien pour les enfants qui ont été maltraités par leurs parents.»

Brock, qui faisait preuve de beaucoup de patience, répondit : «Il est certain que beaucoup de gens en veulent à leurs parents de leur avoir rendu la vie difficile. Je pense que lorsque ces personnes se joignent à un groupe de soutien, elles ne font que perpétuer leurs souffrances. Plus nous nourrissons l'idée que nos parents sont les grands coupables de tout, plus nos vies sont misérables. J'ai connu autrefois un vieux grincheux de presque soixante ans qui rendait ses parents coupables de la triste vie qu'il avait menée jusque-là, même si ses parents étaient morts depuis longtemps. C'était l'un des hommes le plus malheureux qu'il m'ait été donné de rencontrer. Comme cette personne me l'a prouvé, quand on demeure victime de son éducation, on ne prend pas les moyens nécessaires pour se créer une vie heureuse.

«Il est certain que tous les prétextes invoqués pour continuer à jouer à la victime nous empêcheront d'avancer dans la vie. Vous pouvez être trop pauvre, être une femme, être trop défavorisé, trop petit, trop grand, trop noir, trop blanc, ne pas avoir assez d'instruction ou ne pas être assez drôle – la liste est une interminable litanie, mais elle n'a aucun rapport si vous tenez vraiment à réussir dans la vie et à faire quelque chose de différent en ce bas monde.»

Ursula l'interrompit à nouveau. «Comment pouvez-vous affirmer que ces facteurs n'ont aucun rapport? C'est peut être vrai pour certains, mais lorsqu'on est une femme, on est certainement désavantagé! Les femmes font face à une discrimination insurmontable qui les empêche d'atteindre le succès et le bonheur. Elles sont des victimes parce qu'elles font face à l'oppression des hommes. C'est ainsi depuis des siècles et c'est encore comme cela aujourd'hui. Je peux même vous dire que, dans cette salle, il y a des phallocrates qui oppriment les femmes et s'opposent à leur libération...»

Brock fit une pause et répondit sèchement : «Ursula, vous pourrez peut-être me désigner les méchants machos qui se trouvent parmi nous à la fin de la soirée. Quand j'aurai fini de leur parler, ce seront des hommes libérés et tout le monde sera très content de vous avoir, vous – ou encore toute autre femme dans cette salle – pour vidanger l'huile de leurs grosses bagnoles à moteur gonflé...»

Des rires fusèrent à travers la salle, tant du côté des hommes que du côté des femmes, mais Ursula n'apprécia guère l'humour de ce commentaire.

Brock continua : «Ursula, au cas où vous ne m'auriez pas compris, disons que j'ai livré mon dernier commentaire en partie pour faire un peu d'humour et en partie pour que vous pensiez un peu plus à ce que cela prend pour être une femme vraiment libérée. Cependant, n'interprétez pas mal mes paroles. J'accepte le fait qu'il y a eu et qu'il y a encore une discrimination injustifiée envers les femmes. Je reconnais qu'il existe des injustices incroyables et des inégalités dans le monde. Je sais que des centaines de millions de personnes n'ont que très peu ou aucune ressource. Cependant, dans notre monde occidental, c'est loin d'être le cas. Les personnes qui sont désavantagées ont quand même de grandes chances de réussir et d'accomplir dans leur vie des choses dont tout le monde pourra profiter.»

«Lorsque l'on transcende ces désavantages, l'esprit dépasse la matière. Par contre, si des personnes pensent être victimes de la société ou encore rejettent la faute sur leurs parents, sur le gouvernement ou sur le sexe opposé, le résultat sera exactement le même : il n'y aura aucune récompense sur les plans de la réussite et du bonheur. Les personnes dont le grand jeu dans la vie consiste à s'ériger en victimes ne seront jamais libres. D'ailleurs, comment pourraient-elles l'être? Leur subconscient leur trouvera toujours une façon de continuer à se présenter comme des victimes et donnera ainsi toute satisfaction à leur système de valeurs pervers. Elles trouveront toujours le moyen de rejeter la source de leurs malheurs et de leurs problèmes sur quelqu'un d'autre.

– S'il en est ainsi, à qui donc devons-nous faire porter le blâme de tous nos problèmes?» demanda à la blague un Oriental dénommé Ting.

«Je crois que vous connaissez très bien la réponse à votre question, Ting. Laissez-moi vous en poser une en retour. Combien de fois avez-vous entendu dire par des personnes qui avaient vraiment réussi que la clé de leur réussite résidait dans le fait qu'elles avaient rejeté la faute de leurs problèmes sur quelqu'un d'autre?»

Ting sourit : «De toute évidence, la réponse est : "Aucune". Mais n'y a-t-il pas des gens qui tirent une certaine satisfaction à se cantonner toute leur vie dans leur rôle de victime?»

– Il est certain, Ting, qu'un débat portant sur la satisfaction que l'on peut tirer à s'ériger en victime revient au même que d'engendrer un débat pour savoir si le chiffre zéro est un vrai chiffre. Dans les deux cas, nous pouvons répondre par un non, et tout débat futur sur le même sujet serait une pure perte de temps. Certaines personnes, bien sûr, tirent un certain bénéfice à rester des victimes, mais cela n'est absolument pas le genre d'attitude qui contribue à la paix de l'esprit ni au bien-être personnel.

«Lorsqu'on passe sa vie à jouer à la victime, le résultat final ne donne rien de bon. Et lorsqu'on s'attarde sur les soi-disant injustices ou inégalités dont on est victimes, on pose des obstacles à sa réussite dans tous les domaines d'activité. Il est vrai que chacun possède un certain handicap, certaines lacunes, lorsqu'il se compare à quelqu'un d'autre.»

Patrick, un motard corpulent qui devait bien peser plus de cent kilos, aux cheveux longs et noirs et habillé comme un membre des Hell's Angels – l'écusson en moins sur sa veste de cuir – prit la parole avec une facilité déconcertante chez ce genre de personnage.

«Brock, tous les gens possèdent des lacunes lorsqu'ils se comparent aux autres mais, dans notre monde occidental, la plupart des citoyens sont nettement désavantagés lorsqu'ils se comparent aux personnes riches et privilégiées.

– Il ne fait aucun doute que les handicaps et les lacunes se situent à des degrés divers, reprit Brock. Cependant, ce n'est pas l'ampleur de ces handicaps ou de ces lacunes qui empêche les gens d'agir. C'est la façon dont ils s'attardent sur ces handicaps et sur ces désavantages.

– Oseriez-vous suggérer que les gens devraient passer outre à leurs désavantages? demanda Patrick.

– Absolument, répondit Brock. Il existe des millions de personnes qui parviennent à mener une vie enrichissante et réussie malgré leurs handicaps physiques, malgré le fait qu'elles ont été élevées dans des ghettos, qu'elles n'ont eu que très peu d'éducation ou des parents cruels. Certaines d'entre elles n'ont même pas eu de parents du tout. La chose importante que ces gens-là n'ont pas faite, c'est de jouer à la victime geignarde et bêlante.»

Brock continua : «Si vous demandez à ces personnes qui avaient des désavantages importants et qui ont si bien réussi comment elles ont pu accomplir tout ce qu'elles ont fait, elles vous répondront que c'est justement parce qu'elles n'ont pas vraiment pensé à ces désavantages. Elles étaient bien trop occupées à se fixer des objectifs et à choisir les actions à entreprendre pour les atteindre et les réaliser. Occupées par tout cela, elles n'avaient vraiment pas le temps de s'apesantir sur leurs lacunes. Je conseille à tout le monde dans cette salle d'en faire autant si vous voulez accomplir quelque chose de significatif au cours de votre existence.»

* * *

Sheldon trouva que la conférence se déroulait rapidement. Il constata que, de temps à autre, un ou deux des participants avaient l'air de somnoler. Sheldon ne pouvait se payer ce luxe-là, occupé qu'il était à aider Brock pendant les projections des diapositives. De toute façon, il n'avait vraiment pas envie de dormir, car il reconnaissait la valeur du contenu de la conférence et prêtait grande attention aux paroles de son mentor.

Plusieurs participants semblaient ennuyés par l'emphase que Brock mettait sur l'importance de renoncer à leur situation de victime et de se prendre en main. Sheldon, lui, trouvait que cette partie de la conférence était très utile. Il réalisa qu'Ursula, la femme à l'accent hollandais, souffrait de «victimite» aiguë et que cela l'empêcherait d'avancer dans la vie si elle ne surmontait pas ce handicap. Il réalisa aussi à quel point les personnes pouvaient elles-mêmes créer leur rôle de victime, que se soit parce qu'elles étaient des hommes ou des femmes, minces ou grosses, bourrées de talent ou handicapées, noires ou blanches, riches ou pauvres. Sheldon se rendait de plus en plus compte de l'importance de renoncer à sa situation de victime et de prendre la pleine responsabilité de sa vie.

L'attention de Sheldon ne se trouvait détournée de ce qui se passait dans la salle que lorsqu'il lisait des passages du *Petit Livre du secret de la vie*.

La profondeur de votre malheur dépend de l'intensité
avec laquelle vous croyez être une victime.

Érigez-vous en victime des circonstances et
que se passera-t-il?
Vous en deviendrez une!
Et vous aurez tout à fait raison à ce propos.
La question importante que vous devrez
vous poser sera celle-ci :
voulez-vous continuer à vous ériger en victime
ou voulez-vous être heureux?

Sheldon se sentait privilégié de posséder ce qui pouvait bien être le seul exemplaire du *Petit Livre du secret de la vie* à Vancouver et peut-être même au Canada ou en Amérique du Nord. Bien que les maximes de cet opuscule fussent courtes, poétiques et mesurées, et qu'elles contrastaient de façon prononcée avec le style affirmatif et fougueux de Brock, il existait un lien philosophique incroyable entre elles et les principes que préconisait ce dernier. Aux yeux de Sheldon, le contenu de ce livre ajoutait un impact additionnel aux applications du paradoxe de la vie facile.

La vie est beaucoup plus facile si vous
prenez vos responsabilités.
Prendre la responsabilité de votre vie
revient à dire que vous voulez être l'auteur
de toutes vos expériences, y compris celles
qui vous embarrassent et dont vous n'êtes pas fier.

* * *

Une demi-heure avant que Brock annonce une pause-café, Sheldon remarqua deux jeunes gens, assis à la dernière rangée, qui avaient tous les deux l'air de tout savoir, parlaient tout haut et riaient sans retenue. Il était évident que d'autres participants à la conférence étaient irrités par leur conduite.

Brock fit preuve de beaucoup de patience pendant quelques minutes. Quand il devint évident que les deux trouble-fête n'avaient nullement l'intention d'arrêter sans y être contraints, Brock fit un arrêt pour les regarder et les deux individus choisirent de se taire. Cependant, dès que Brock reprit sa présentation, ils reprirent leur conversation. Cette fois, le conférencier en eut assez et réagit en élevant la voix :

«DITES DONC, VOUS DEUX, À L'ARRIÈRE DE LA SALLE! SI VOUS VOU-LEZ BAVARDER, LE CAFÉ STARBUCKS EST JUSTE AU COIN DE LA RUE. SI VOUS VOULEZ MENER LE DÉBAT, VOUS DEVREZ ALLER À L'ÉCOLE PENDANT DIX-HUIT ANS COMME JE L'AI FAIT. IL SERAIT ÉGALEMENT INDISPENSABLE QUE VOUS ACQUÉRIEZ DE L'EXPÉRIENCE COMME ORATEURS ET UN BON SUJET QUI VOUS SERVIRA DE DISCOURS. MÊME EN SUPPOSANT QUE VOUS AYEZ TOUTES LES QUALIFICATIONS NÉCESSAIRES, VOUS NE POURREZ PAS DONNER VOTRE CONFÉRENCE DANS CETTE SALLE. VOUS ALLEZ DEVOIR VOUS TROUVER VOTRE PROPRE CONTRAT D'EMBAUCHE, VOTRE PROPRE AUDITOIRE ET VOTRE PROPRE SALLE.»

Un silence désagréable suivit, alors que Brock retournait au pupitre pour regarder ses notes. Comme il levait le regard, il remarqua qu'un des deux jeunes hommes se préparait à sortir et se dirigeait vers la porte arrière.

«DITES-MOI, OÙ CROYEZ-VOUS QUE VOUS ALLEZ COMME ÇA?» demanda Brock d'un ton brusque.

– Je fous le camp! répondit l'un des importuns, un autochtone trapu qui portait sa veste en daim sur le bras. Rien ne me force à écouter toutes les niaiseries que vous débitez pendant cette conférence. Votre personnalité me déplaît fortement. Vous êtes un pauvre type – un pourceau de fasciste. Je tiens à vous faire savoir que je vais porter plainte contre vous et ce que vous présentez à cette conférence au Département du développement personnel et du choix de carrière.

– Déposez votre plainte, rétorqua Brock sur un ton confiant. J'assume l'entière responsabilité d'être ce que vous appelez un "pourceau de fasciste". Je suis un salaud de fasciste pendant cette conférence parce que c'est ce qui fonctionne le mieux pour qu'une bande de ratés se mettent au travail pour reconstruire leur vie. En ce qui concerne les niaiseries que j'expose pendant cette conférence, prenez note que j'ai présenté les mêmes bêtises au moins une vingtaine de fois et que le Département du développement personnel et du choix de carrière me les redemande tout le temps. Ils ont même doublé mes honoraires à cause des excellents résultats que j'ai obtenus en stimulant les personnes avec le paradoxe de la vie facile et ses applications.»

Brock, à ce moment-là, était arrivé à l'arrière de la salle. Il jeta un coup d'œil rapide sur l'épinglette qui portait le nom du jeune homme et lui demanda : «Joe, dites-moi donc ce qui vous fait quitter cette salle?»

– Vous, avec votre arrogance, répondit Joe rapidement.

– Non, ce n'est pas moi qui vous fait partir, affirma Brock. C'est la fragilité de votre ego qui vous fait fuir. Pensez-y bien. Votre ami aussi a entendu tout ce que je viens de dire.»

Brock jeta un coup d'œil au nom de l'autre homme et continua. «Tiens, Terry ne s'en va pas, lui. Pourtant, tout ce que j'ai dit jusqu'à maintenant au sujet du paradoxe de la vie facile s'adressait à tout un chacun dans la salle. Et devinez quoi? Personne ne quitte la salle. À moins d'être Dieu le Père en personne, comment pourrais-je vous faire quitter la conférence et forcer tous les autres à rester en même temps?»

Joe haussa les épaules mais ne répondit pas.

– Voyons, Joe, que vous restiez ou que vous partiez, c'est votre choix. Ce n'est pas celui de Dieu ni le mien. Il est certain que vous pouvez emprunter la voie de la facilité pour vous en sortir et abandonner tout sur-le-champ, comme vous avez dû le faire en bien d'autres occasions dans votre vie. Vous pouvez partir, c'est sûr, et aller prendre un verre au bar du coin, qui est le lieu de prédilection de toutes les personnes insignifiantes et le centre local de commérage. Je peux vous assurer qu'en vous tenant avec cette bande de perdants chroniques, vous recevrez une leçon importante qui vous montrera comment NE PAS RÉUSSIR dans la vie. Il est certain que vous leur raconterez ce qui s'est passé à cette conférence et que vous me rejetterez tous les torts sur le dos. Vous pourrez aussi dire que le paradoxe de la vie facile est une erreur et que chaque personne qui est restée à la conférence a eu tort. Mais alors, rien ne changera dans votre vie. Vous continuerez d'être un sous-performant qui ne vivra pas à la hauteur de ses capacités. Le côté sadique de la chose c'est que vous ne tirerez que peu de satisfaction et de joie de votre vie.»

Brock continua. «Cependant, Joe, je peux vous garantir que si vous faites ce qui est difficile et pénible en premier et que vous restez jusqu'à la fin de cette conférence et des deux autres, vous allez être content de l'avoir fait. Votre vie changera du tout au tout. Elle n'aura que des côtés positifs. Tout ce que vous aurez à faire, c'est d'adopter le paradoxe de la vie facile et de commencer à en appliquer les principes dans quelques domaines de votre vie. Et à ce moment-là, si vous désirez encore porter plainte contre moi au Département du développement personnel et du choix de carrière, imaginez-vous toutes les sources de plaintes que vous aurez amassées au cours des trois sessions.»

Des rires et des applaudissements fusèrent à travers la salle en signe de soulagement après les moments de tension.

Brock continua aimablement : «Joe, je sais que vous – comme les autres personnes présentes – êtes un être humain bourré de talent qui, au fond de lui-même, veut faire quelque chose de bien pour le monde. Si vous restez et que vous aidez toutes les autres personnes à réussir à améliorer leur vie, ces mêmes personnes vous donneront l'aide dont vous avez besoin pour améliorer la vôtre.»

Brock tourna ensuite son attention vers le reste de l'assemblée et demanda : «Quelles sont les personnes, ici, qui veulent aider Joe à rester, à mieux participer à ce groupe et à contribuer à améliorer sa propre vie?»

Tous les participants, Sheldon y compris, levèrent la main.

«Alors, que décidez-vous, Joe? Allez-vous abandonner vos collègues ou allez-vous montrer votre valeur, ce dont vous êtes capable, et demeurer parmi nous?»

Un ange passa… On entendit Joe prononcer d'une voix presque inaudible : «D'accord, je suis d'accord pour rester jusqu'à la fin de cette conférence, mais je déciderai plus tard si j'assisterai aux deux autres.»

Toutes les personnes applaudirent pendant que Joe retournait à sa place et s'asseyait.

«Merci, Joe, répondit Brock. Je veux personnellement vous féliciter d'avoir fait preuve de courage en prenant la décision – difficile – de rester. Faites-moi confiance et continuez à prendre beaucoup plus de décisions comme celle-là : vous verrez que cela fera une grande différence sur terre. Vous allez peut-être connaître une renommée incroyable et la fortune.»

Brock retourna vers l'estrade, où il resta sans parler pendant environ trente secondes avant de continuer. «Voyez-vous, je ne veux pas que qui que ce soit pense que Joe est différent des autres personnes dans cette salle. Moi y compris. Nous avons tous tendance à reculer et à abandonner des projets importants quand cela devient trop difficile. En fait, il nous arrive souvent d'abandonner de grands projets à cause de petits problèmes qui nous irritent et non à cause de problèmes que nous pourrions qualifier de "majeurs".»

Sheldon, qui portait une attention toute spéciale au déroulement de la conférence, fut surpris d'entendre les prochaines paroles de Brock.

«Je vais partager avec vous une expérience personnelle sur le prix que l'on doit payer lorsqu'on abandonne quelque chose à cause du désagrément qu'elle nous apporte. J'ai abandonné mes cours de génie deux fois avant de finalement les terminer. J'ai dû refaire une année au complet. Cela m'a coûté trois ans au total. Si j'avais terminé mes cours en quatre ans – comme cela était prévu – à la place des sept que cela m'a pris, j'aurais découvert beaucoup plus tôt ce que je voulais faire de ma vie.

«Ce qu'il est important de retenir ici, c'est que lorsqu'on abandonne – que ce soit pour des peccadilles ou pour de bonnes raisons –, on se trouve à prendre la voie facile et cela créera beaucoup de regrets, de frustration et de rejet dans notre vie. En d'autres termes, lorsqu'on abandonne un projet important parce que la pression est trop forte, on n'avance pas, on n'accomplit rien et on n'obtient aucune satisfaction. Donc, Joe, merci encore pour la grande contribution que vous venez de faire en nous montrant à tous que cela prend du courage pour continuer à remplir des engagements importants plutôt que de céder à la tentation de tout laisser tomber.»

Cet échange entre Brock et Joe allait avoir un impact extraordinaire sur Sheldon, surtout en ce qui a trait à sa décision d'abandonner ou non ses études.

C'est en entretenant de bonnes habitudes
que l'on forge de grandes personnalités.

De façon similaire, c'est en maintenant beaucoup
de nos mauvaises habitudes que l'on
obtient de mauvaises personnalités.

Il faut donc choisir nos habitudes avec sagesse.
Ce ne sont pas nos habitudes qui doivent nous choisir.

* * *

Il y eut une courte pause-café au cours de laquelle Sheldon entendit trois des stagiaires parler avec beaucoup d'admiration de la facilité que Brock avait de les déséquilibrer avec son karaté verbal. D'autres stagiaires parlèrent de l'épisode entre Brock et Joe, reconnaissant à Brock un talent remarquable pour avoir su influencer Joe à rester jusqu'à la fin de la conférence. Pendant quelques instants, Sheldon se mit à rêver à ce que serait sa vie s'il donnait des conférences comme celle-ci sur le développement personnel et s'il le faisait avec autant de psychologie et de doigté que Brock. Cependant, il chassa ce rêve bien vite parce qu'il ne pensait pas pouvoir acquérir les connaissances et le talent nécessaires pour devenir conférencier.

La deuxième partie de la conférence était focalisée sur le paradoxe de la vie facile, traitait de la façon d'obtenir plus de satisfaction dans la vie, d'éviter la plupart des problèmes, et de l'importance d'honorer la parole donnée. Brock commença par mettre l'emphase sur la folie de certaines personnes qui recherchent à tout prix le confort dans leur vie.

«Cette déclaration surprend beaucoup de personnes pendant les conférences : vivre dans le confort physique total n'est pas synonyme d'accomplissement personnel, pas plus que de joie ou de réussite. En vérité, le désir d'un confort total est un handicap à la réussite.

– Qu'y a-t-il de mal à vouloir avoir du confort dans la vie? demanda Ron, un barbu dégingandé dont les cheveux bruns à hauteur d'épaules étaient coiffés en queue de cheval.

– Le choix que l'on doit faire à propos du confort est paradoxal, répondit Brock. La plupart d'entre nous devons avoir abordé et maîtrisé plusieurs tâches difficiles avant de ressentir de la satisfaction et le sentiment d'avoir réussi. Il est toujours tellement facile d'oublier ce qui nous a apporté une véritable satisfaction!»

Brock s'arrêta et son regard partit de Ron pour aller vers l'assemblée au complet. Il dit ceci :

«Pour que vous compreniez bien, permettez-moi de demander s'il y a quelqu'un qui a déjà ressenti une sensation de bien-être intense après avoir accompli quelque chose qu'il ne pensait pas être capable de faire au départ ou quelque chose que tout le monde disait qu'il serait incapable de faire.»

Une vingtaine de mains se levèrent. Brock s'adressa ensuite à une femme qui était assise à la première rangée.

«Oui, Linda, quelle est la chose difficile que vous avez accomplie?

– J'ai cessé de fumer alors que la majorité de mes amis non fumeurs ne pensaient pas que j'en serais capable, répondit Linda en souriant. En fait, j'avais moi-même de sérieux doutes sur ma capacité d'y arriver.

– Vous aviez fumé pendant combien de temps avant d'arrêter? demanda Brock.

– Environ dix ans.

– Avez-vous trouvé ça facile d'arrêter?

– Non, en fait, je pense que c'est la chose la plus difficile que j'aie jamais faite, répondit Linda. La cigarette était une véritable malédiction, beaucoup plus qu'une dépendance. J'avais déjà essayé d'arrêter et j'avais recommencé chaque fois au bout de deux à trois semaines. Cela s'est reproduit plusieurs fois. J'ai essayé pendant trois ans avant de finalement réussir.

– Avez-vous eu alors le sentiment d'avoir accompli un exploit extra-ordinaire?

– Tout à fait. Et je le ressens encore, répondit Linda avec beaucoup d'enthousiasme et d'orgueil dans la voix. Cela a été l'un des trois grands exploits de ma vie. Cela m'a remplie de satisfaction et a fait grimper l'estime que j'avais de moi-même de plusieurs crans parce qu'à mes yeux, j'avais réussi une prouesse.»

Brock l'interrompit à ce moment. «Linda, il ne fait aucun doute que vous avez accompli une des prouesses les plus difficiles pour des millions d'êtres humains. Cependant, remarquez qu'en entreprenant ce qui était difficile et désagréable, votre exploit vous a procuré beaucoup de gratification. C'est le paradoxe de la vie facile en action. Bien entendu, nous ne pouvons pas oublier tous les bénéfices reliés au fait d'arrêter de fumer, comme un surplus d'énergie, une toux moins fréquente, moins de rhumes, moins de problèmes respiratoires et un risque amoindri d'avoir le cancer du poumon. Ces bénéfices vous rendront la vie plus facile et plus agréable à long terme.

– Je suis tout à fait d'accord avec vous, dit Linda en souriant.

Deux autres stagiaires partagèrent leurs expériences personnelles de choses difficiles qu'ils avaient accomplies et qui leur avaient apporté un contentement incroyable et une plus grande estime d'eux-mêmes. Brock fit ensuite le résumé de cette première partie de la conférence :

«Si vous vous imaginez que vous pourrez connaître une grande satis-faction personnelle sans avoir à faire d'effort, vous aurez la plus grande surprise de votre vie... Lorsqu'un projet est difficile, il est indispensable de fournir un effort soutenu pendant une longue période de temps pour arriver, éventuellement, à connaître la satisfaction qui accompagne le sentiment d'avoir accompli quelque chose d'important. En fait, vous allez trouver, comme Linda l'a fait lorsqu'elle a arrêté de fumer, que la plus grande des satisfactions vient lorsqu'on a fait quelque chose que tout le monde disait impossible ou trop difficile.

«Nous sommes des êtres humains, après tout, et en tant que tels, nous avons toujours tendance à éviter ce qui est désagréable et à partir à la recherche de ce qui est rassurant et de ce qui nous procure un certain plaisir. Malheureusement, la vraie réussite – et le genre de satisfaction et de bonheur qui l'accompagne – exigent qu'on en paie le prix en inconvénients. De manière générale, plus ce prix est élevé, plus grande sera la récompense. Comme la satisfaction est l'un des éléments importants de notre bonheur, les inconvénients et les luttes que nous expérimentons ne font qu'ajouter des points à ce dernier.

«De nos jours, la plupart des personnes ne supportent pas le moindre inconfort physique, le moindre découragement ou des moments difficiles sans estimer qu'elles ont été brimées. Ne soyez pas comme elles. Apprenez à supporter les désagréments et vous posséderez un avantage incroyable sur la majorité des personnes habitant en Amérique du Nord et dans les autres pays occidentaux. Plus vous vous accrocherez, malgré les épreuves et les afflictions de la vie, plus vous connaîtrez le bonheur et la réussite.»

Remercions Dieu que la vie ne soit pas toujours facile.
D'où viendrait notre satisfaction?
et l'ennui serait insupportable.

Ne vous sentez jamais coupable si vous
bénéficiez d'un peu de confort dans la vie.
Gardez cependant à l'esprit que le confort
est une arme à double tranchant.

Un peu de confort améliorera
notre santé et notre bonheur.
Trop de confort détruira les deux.

* * *

Ne vous sous-estimez jamais comme
étant une source d'ennuis dans votre
recherche du bonheur et de la paix de l'esprit.

*Si vous ne subissez pas d'échec, vous vous retrouverez
avec bien plus de problèmes que n'importe qui sur la planète.*

Brock fit la présentation du prochain sujet, c'est-à-dire comment éviter la plupart des problèmes de la vie. Il demanda :

«Quelqu'un éprouve-t-il un problème particulier qu'il aimerait partager avec nous?»

Belinda, une belle jeune femme aux cheveux noirs, raconta comment elle avait reçu une amende de 75 dollars pour excès de vitesse en venant à la conférence. Elle rejetait la faute sur l'agent de police qui avait dressé le procès-verbal.

Brock répondit en lui demandant : «Mais qui, au fond, a été la cause de l'amende pour excès de vitesse, Belinda?

– Le policier, répondit Belinda. Il a été injuste. J'étais en retard. Je me dépêchais…

– Et qui a été responsable de votre retard? Ce n'est certainement pas l'officier de police. Être en retard est un choix. Il se peut que ce soit un choix inconscient. Peu importe comment, c'est un choix que vous avez fait. Pour quelque étrange raison que ce soit, vous croyez que les forces du mal se sont liguées pour vous faire avoir une contravention, alors que vous êtes quelqu'un de bien et que vous faites tout comme il faut. Je peux vous assurer que ce n'est pas le cas. Moi, je n'ai pas eu de contravention pour excès de vitesse en arrivant ici. Devinez pourquoi?

– Vous avez eu de la chance, et moi pas», répondit Belinda d'une voix belliqueuse.

– Non, Belinda, vous n'y êtes pas du tout. La raison pour laquelle Brock Mellor ne reçoit plus d'amendes pour excès de vitesse, c'est tout simplement parce qu'il ne dépasse plus la vitesse permise, annonça Brock. Il y a à peu près dix ans, il a reçu trois amendes pour excès de vitesse en six mois. Dans chacun des cas, l'agent de police avait admis que l'on permettait quinze kilomètres à l'heure de plus que la vitesse réglementaire. Brock Mellor finit par réaliser qu'il était un imbécile et qu'il était responsable de ses contraventions. À l'heure actuelle, il ne paye plus de contraventions pour excès de vitesse et sa prime d'assurance fait la jalousie de tous ceux qui vont trop vite. Et, ce qui est plus important, ses chances d'avoir un accident s'en trouvent réduites de manière dramatique.»

Brock continua : «Vous remarquerez que je n'ai pas blâmé les agents de police. J'ai pris la responsabilité de mes actes et je me suis collé le blâme sur le dos. Aucune excuse. Et devinez quoi? Lorsque j'ai mis en application le paradoxe de la vie facile, cela m'a effectivement facilité la vie. Je fais ce qui est difficile et désagréable, et je respecte les limites de vitesse. Et puis, je n'ai même pas besoin de les respecter parce que la police accepte un écart de quinze kilomètres à l'heure. Mais il y a aussi des gens comme vous qui reçoivent des amendes pour excès de vitesse et qui reportent la faute sur les policiers plutôt que sur eux-mêmes.

– Je me moque de ce que vous dites, répondit rapidement Belinda. Je vais aller contester la contravention.»

– Eh bien, Belinda, allez contester, mais cela ne fera que brûler de l'énergie et du temps que vous pourriez utiliser bien mieux en essayant d'améliorer votre vie. Vous pourriez même avoir de la chance et gagner sur un point de droit. Mais, à longue échéance, cela ne vous sera pas utile. Vous continuerez à récolter des contraventions pour excès de vitesse et à payer de fortes primes d'assurances. Vous pourriez même être la cause d'un accident grave aux conséquences sérieuses. Vous n'éliminerez pas les amendes pour excès de vitesse de votre vie jusqu'à ce que vous réalisiez que vous êtes la seule coupable de ces sanctions et que les policiers sont des personnes merveilleuses lorsqu'elles dressent des procès-verbaux.»

Arrêtez de rejeter le blâme sur des forces extérieures
à vous pour vos problèmes et vos erreurs
ou alors, vous devrez accorder le crédit de
vos plus belles réussites à ces mêmes forces.

Après Belinda, ce fut au tour de trois autres stagiaires de faire part de l'un de leurs problèmes personnels. Une des intervenantes s'était querellée avec son mari le matin même, un travailleur s'était fait mettre à la porte la semaine précédente après s'être fâché contre son patron, tandis qu'un troisième ne pouvait payer son loyer à temps parce qu'il dépensait plus d'argent qu'il n'en gagnait. Brock, pour chacun des cas, insistait pour démontrer que chaque stagiaire était l'unique responsable de ses problèmes personnels.

«Comme le disent les citoyens du sud des États-Unis, le plus grand trouble-fête dans votre vie est la personne que vous voyez tous les matins dans le miroir, soit quand vous vous maquillez ou quand vous vous rasez. Il ne fait aucun doute que nous sommes les auteurs de la plupart de nos problèmes personnels. Les conséquences de ces problèmes dont nous souffrons ne sont imputables qu'à notre propre conduite, mais il en existe trop parmi nous qui se rongent à essayer de faire porter le blâme aux autres. Nous allons devoir payer sans cesse pour toutes nos actions.

«Croyez moi, lorsque je vous dis que chaque fois que vous vous trouvez en face d'une situation difficile, vous devez pointer le doigt en premier vers une seule personne : vous-même. Un bon nombre de vos problèmes actuels sont le résultat de décisions que vous avez prises et de gestes que vous avez accomplis dans le passé. La plupart des problèmes auxquels vous aurez à faire face à l'avenir auront pour cause des décisions que vous aurez prises et des gestes que vous aurez posés aujourd'hui ou demain.»

«Nos actions dans la vie entraînent des réactions qui prennent la forme de punitions, lesquelles sont souvent beaucoup plus fortes que l'action qui les a justifiées. Beaucoup de personnes ont du mal à relier leurs actions avec les éventuelles punitions qui peuvent en découler, parce que la punition n'est pas toujours évidente ni immédiate. Si l'on se trouve incapable d'établir le rapport entre les deux, il n'est pas impossible que la vie soit très difficile et ce, pour longtemps.

«Vous devez agir pour corriger les erreurs de votre vie. Il existe nombre de situations où il est dangereux de chercher quelqu'un sur qui vous pourriez transférer la faute de ce qui vous arrive. Prenons un exemple : vous faites une randonnée à pied dans la forêt et vous rencontrez un ours. Il serait totalement stupide de rester sur place en cherchant qui blâmer pour cette situation fâcheuse. Une réaction intelligente serait d'essayer de trouver une façon de fuir le plus vite possible. Il vous sera toujours possible de faire porter le blâme à quelqu'un plus tard, de vous blâmer personnellement pour vous être placé dans cette situation.»

«Vous n'êtes pas un être sans défense soumis à des puissances occultes et mauvaises. Donc, la prochaine fois que vous vous surprendrez à vous plaindre de la circulation routière, blâmez le coupable qui vous y a mis : *vous*! Et prenez en considération que vous êtes aussi responsable des problèmes de circulation que tous les autres conducteurs qui sont sur la route.»

Brock fit une pause et ajouta :

«Au fait, vous avez un moyen infaillible de contrôler cette situation. Quelqu'un sait-il quel est le meilleur moyen de résoudre un embouteillage?»

Ting, l'Oriental qui possédait de l'humour, ne perdit pas de temps à répondre à la question de Brock.

«Le moyen de régler un embouteillage est de sortir de votre voiture à la première occasion. Ainsi, vous n'aurez plus de problème de circulation.»

– Bien répondu, Ting. C'était précisément la réponse que je recherchais, répondit Brock en souriant. Lorsque vous arrêtez de blâmer tout le monde pour vos problèmes, vous gagnez du pouvoir et le contrôle de votre vie. Il est sage de prendre la responsabilité de tous les problèmes, dans quelque domaine de la vie que ce soit. Comptez sur vous – et non sur les circonstances et sur les autres – pour vous tirer de tout mauvais pas. Vous devez être dur pour vous-même et doux avec les autres. Vous aurez alors la chance de trouver la vraie source de vos problèmes.»

Erica, la joyeuse et rayonnante jeune femme qui, au début de la conférence, avait demandé à Brock pourquoi il préconisait de la souffrance dans le paradoxe de la vie facile, attira l'attention de celui-ci et demanda :

«Est-il possible que l'on commence à se haïr si l'on se blâme pour tous les problèmes?»

«Voilà une bonne question, Erica. Je suis très content que vous l'ayez soulevée. Je ne vous suggère pas de vous imputer le blâme de façon négative et hargneuse. Ce qu'il faut, c'est prendre la responsabilité de vos actions avec bienveillance. Félicitez-vous pour avoir créé ces problèmes, ce qui vous donnera le défi et la satisfaction de les résoudre.

De cette façon-là, vous vous créez un espace vital pour une vie qui vaut la peine d'être vécue.»

«Laissez-moi résumer ce dont vous avez besoin pour diminuer la nombre de problèmes qui vous assaillent. En premier lieu, pensez aux conséquences de vos gestes avant – et non après – et vous éviterez les contraventions pour excès de vitesse, les conjoints fâchés, les difficultés financières; vous éviterez aussi de vous faire mettre à la porte de votre emploi et de vous tracasser pour toutes les petites complications qui nous tombent dessus tous les jours. Cela fera des miracles et diminuera le nombre de problèmes que vous avez à résoudre. Pour ce faire, il suffit d'appliquer le paradoxe de la vie facile et de vous souvenir qu'il est toujours plus simple de se tenir loin des ennuis que de s'en sortir.»

Les dernières paroles de Brock – *il est toujours plus facile de se tenir loin des ennuis que de s'en sortir* – étaient suffisamment importantes pour que Sheldon les prenne en note dans son petit carnet personnel. D'une façon mystérieuse, il allait les rencontrer à nouveau dans *Le Petit Livre du secret de la vie* [2].

> *Évitez les mauvaises gens et les situations périlleuses.*
> *Comme vous avez déjà dû le remarquer, il est*
> *toujours plus facile de se tenir loin des ennuis*
> *que de s'en sortir.*

* * *

«Le dernier sujet dont nous allons traiter ce soir est l'application du paradoxe de la vie facile dans son rapport avec la faculté de respecter ses engagements, annonça Brock.

«Il est vrai que les personnes qui ont de mauvaises performances ne remplissent par leurs engagements. Une des bonnes raisons pour lesquelles votre vie ne se déroule pas comme vous le souhaiteriez est que vous choisissez de rompre vos engagements, pas seulement ceux que vous prenez envers vous-même, mais aussi ceux que vous prenez vis-

---

[2] Comme le dit un vieux principe oriental enseigné dans les écoles d'arts martiaux : «*Le meilleur moyen de vaincre à coup sûr dans une rixe est de tout faire pour ne pas y prendre part.*»(N.d.T.)

à-vis des autres. Vous êtes comme le Nord-Américain moyen, à la recherche d'un maximum de détente, d'amusement et de plaisirs bon marché au détriment des engagements que vous avez conclus.

«Il va sans dire que vous rompez vos engagements parce qu'il est difficile et désagréable de les respecter. Il est bien plus facile et bien plus agréable à court terme de rompre un engagement. Ce qui est malheureux, c'est que lorsque vous le rompez, vous mettez complètement de côté tout ce qui est satisfaction, réussite et bonheur. Et pour ce qui est des choses qui se passent à long terme, moins vous respecterez vos engagements, plus votre vie deviendra triste et difficile.

«Voici un test tout simple pour déterminer votre façon de respecter vos engagements et votre façon de faire dans la vie. Accomplissez-vous les choses que vous dites que vous allez faire? En d'autres mots, respectez-vous vos engagements envers vous-même et envers les autres? Cela peut s'appliquer à une foule de petites choses insignifiantes comme téléphoner à quelqu'un quand on a dit qu'on le ferait. Si vous ne faites pas les petites choses que vous aviez promises, il est plus qu'improbable que vous respectiez des engagements plus importants dans votre vie.

«Oui, Ron», dit Brock, qui venait de remarquer qu'une main s'était levée.

Ron, le barbu à la queue de cheval qui avait demandé un peu plus tôt à Brock ce qu'il y avait de mal à vouloir mener une vie confortable, déclara :

«Je peux bien voir qu'il est important de respecter les engagements importants que j'ai conclus avec les autres, mais je ne gaspillerai pas mon temps et mon énergie à respecter des engagements futiles ou peu importants.

– VRAIMENT? dit Brock, en posant son verre d'eau avec un mouvement de mécontentement. RON, POURQUOI PENSEZ-VOUS QU'IL Y A AUTANT D'ENGAGEMENTS ROMPUS QUI FONT QUE LES PERSONNES BOUSILLENT LEUR VIE DE FAÇON AUSSI ÉPOUVANTABLE? CHAQUE FOIS QUE QUELQU'UN VEUT ROMPRE UN ENGAGEMENT, IL LE QUALIFIE DE "PEU IMPORTANT".

«AINSI, SI QUELQU'UN VOUS DOIT CINQUANTE DOLLARS, ON POUR-RAIT APPELER CELA UN ENGAGEMENT IMPORTANT QUI, BIEN SÛR, NE DEVRAIT ÊTRE ROMPU SOUS AUCUN PRÉTEXTE! MAIS, SI VOUS DEVEZ SOIXANTE-QUINZE DOLLARS À QUELQU'UN, CELA DEVIENT UN ENGA-GEMENT PEU IMPORTANT. C'EST BIEN ÇA, RON?»

Un grand rire secoua la salle. Ron rougit un peu, forçant Brock à s'arrêter pendant quelques secondes.

«Ron, je ne suis pas en train de dire à vos collègues que vous ne me rembourserez pas les soixante-quinze dollars que j'aurais pu vous prêter. Je n'ai aucune raison de penser que vous n'allez pas me rembourser. Ce que je veux mettre en évidence ici, c'est que l'esprit des personnes a tendance à évaluer un engagement sur la façon dont elles ont l'intention de le respecter au moment où elles s'engagent à le faire. L'esprit humain optera pour la situation facile de ne pas respecter cet engagement, même si les conséquences à long terme sont lourdes. Les conséquences à long terme du bris d'un engagement peuvent être la perte de l'intégrité, de la réputation et de l'amitié. Les conséquences à long terme lorsqu'on ne respecte jamais ses engagements, y compris ceux que l'on contracte envers soi-même, incluent le manque de véritable accomplissement, l'insatisfaction, la perte de l'estime de soi et une paix de l'esprit très limitée.»

Brock, ensuite s'adressa à toute l'assemblée :

«Maintenant, je voudrais que chacun de vous identifie une activité qu'il juge importante, quelque chose qui lui rapportera de grands bénéfices au plan de sa carrière et de l'amélioration de son bien-être personnel. En même temps, vous devez conclure un engagement ou un contrat avec vous-même de le réaliser dans un espace de temps limité. Il est important que vous fassiez cela par écrit.

«Si vous n'êtes pas sûr d'utiliser les bons mots, voici un des nombreux engagements que j'ai pris envers moi-même lorsque j'ai commencé comme conférencier professionnel.»

Brock fit signe à Sheldon de projeter l'exemple de l'entente sur l'écran.

ENGAGEMENT PERSONNEL

Moi, Brock Mellor, à la recherche d'une vie plus riche, m'engage par la présente, à lire un livre toutes les deux semaines pendant un an. Mes objectifs sont :

• D'accroître ma connaissance du monde;

• De faire avancer ma carrière;

• De développer ma capacité à communiquer avec les autres;

• D'apprendre ce qu'est un livre à succès pour que, moi aussi, je puisse en écrire éventuellement.

Quelques minutes plus tard, alors que Brock observait la salle, tous les participants étaient bien occupés à écrire sauf Terry, l'autre homme qui avait été avec Joe à l'origine de l'accrochage survenu un peu plus tôt.

«Terry, je vois que vous n'écrivez rien, remarqua Brock en quittant l'estrade et en se dirigeant vers l'endroit où Terry était assis.

– Je trouve qu'il est complètement idiot de nous obliger à mettre nos engagements sur papier, déclara Terry. C'est un travail inutile que je ne.....»

«Terry, comprenez bien une chose en ce qui concerne les engagements, interrompit brock. J'ai découvert au fil des années que consigner ses engagements par écrit peut paraître stupide et inutile, mais seulement pour ceux et celles qui sont devenus maîtres dans l'art de ne pas les respecter...»

Des rires contenus se firent entendre dans toute la salle.

Après avoir bu une gorgée d'eau, Brock continua d'une voix plus douce et plus posée.

«D'autre part, les personnes qui respectent leurs engagements pensent qu'il est intelligent – et que cela ne demande pas autant de travail que cela – de consigner leurs engagements par écrit. Elles dressent la liste de ce qui est important pour eux et des moyens qu'elles utiliseront pour l'obtenir. En mettant leurs engagements par écrit, elles font preuve de responsabilité, contrairement aux personnes trop paresseuses. C'est pourquoi, Terry, si vous voulez avancer dans le monde, je vous suggère d'agir comme le font les personnes vraiment efficaces, et non de prendre la voie un peu trop facile qu'empruntent les inadaptés et les nuls.»

Terry, après un petit moment d'agitation, fixa Brock des yeux, mais n'ajouta rien de plus. Au bout de quelques secondes, il commença à écrire.

Plus tard, quand chacun eut fini de noter ses engagements personnels, Brock mit l'emphase sur l'importance que tous et toutes devaient mettre à respecter leurs engagements. S'il devait arriver qu'ils les rompent, ils devraient se montrer durs envers eux-mêmes et les reprendre. Ils devraient s'efforcer de placer le contrat qu'ils venaient de rédiger dans un endroit visible en tout temps, pour accroître leurs chances de le respecter. Ce pourrait être à côté de l'interrupteur de leur chambre ou sur leur bureau – là où ce papier pouvait leur sauter aux yeux.

«Les engagements sont faits pour être respectés et non rompus, ajoutait Brock une minute plus tard. Au cas où vous ne l'auriez pas remarqué, la route de la médiocrité – comme l'enfer – est pavée de bonnes intentions et de promesses brisées. Vous devez prendre l'habitude de respecter vos engagements pour éviter de traîner sur cette route pendant le restant de votre vie. Cela signifie voir l'aboutissement de vos obligations, et cela va beaucoup plus loin que de dire que vous vous engagez. S'engager, c'est garder sa parole quoi qu'il arrive. Les obligations que vous avez envers vos rêves montrent que vous avez le désir profond de les voir aboutir, peu importe les obstacles qui se trouvent sur votre chemin.

«À travers le monde, les personnes performantes savent qu'il faut s'engager pour tirer quelque satisfaction de tout ce qui vaut la peine d'être réalisé. Parler de ses objectifs et de ses rêves est une chose, mais c'en est une autre de prendre les décisions qu'il faut pour les concrétiser. La plupart des gens vont jusque-là. Lorsqu'ils ne respectent pas les engagements nécessaires pour y arriver, ces objectifs et ces rêves tombent à l'eau. L'inaction enlève toute valeur aux buts et aux rêves que l'on s'est fixés.

«Quelqu'un a déjà dit qu'on a dit plus que l'on a fait. En réalité, plus a été dit que fait. Sans avoir besoin de les chercher, les distractions se présentent à nous; elles nous aident à oublier les obligations que nous avons prises envers nous-mêmes et envers les autres. Ce sont donc votre intégrité et vos priorités qui doivent déterminer vos actions – et non vos distractions.

«Quel est le but de faire des promesses et de faire part de vos rêves personnels si vous n'allez rien faire pour les réaliser? Il vient un temps où vous devez réaliser que vous y avez pensé, que vous les avez planifiés et que vous en avez parlé suffisamment. Faire des promesses et parler de ses rêves constitue la partie agréable. Les réaliser constitue la partie difficile et pleine d'embûches. Souvenez-vous, surtout, que le jour où vous commencerez à respecter vos engagements, spécialement ceux qui visent les buts que vous voulez atteindre et les rêves les plus chers que vous entretenez, sera le jour où vous commencerez à vous imposer dans le monde.»

*Vous ne devez pas nécessairement travailler dur
pour connaître la réussite personnelle.
Mais vous devez tous les jours consacrer
quelques heures à l'objectif que vous voulez atteindre.
S'engager n'est pas seulement parler d'engagement;
c'est faire ce qui doit être fait sans chercher d'excuses
pour ne pas le faire.*

* * *

«AVANT QUE JE TERMINE LA DISCUSSION, Y A-T-IL DES QUESTIONS?» demanda Brock d'une voix décidée.

Patrick, le grand gaillard à la veste de cuir, posa la première question.

«Brock, vous avez dit tout à l'heure que nous sommes grandement responsables de pratiquement tous nos problèmes personnels, et cela à cause de nos actions passées. Serait-il possible que Dieu prédétermine la plupart des choses qui nous arrivent?»

Brock esquissa un sourire et répondit :

«Si jamais vous croyez que la plupart des événements relèvent de la prédestination, il est inutile de passer votre temps à vous inquiéter pour savoir quelles sont les choses dont le contrôle vous échappe. Pourquoi ne faites-vous pas la part des choses et ne regardez-vous pas ce que vous êtes en mesure de contrôler? Ne laissez pas tout entre les mains de Dieu. Arrimez-vous à la tâche et donnez-lui un coup de mains en faisant avancer votre vie. Souvenez-vous du vieux proverbe : "Aide-toi et le ciel t'aidera."»

Après avoir répondu à un certain nombre de questions des stagiaires, Brock demanda à Sheldon de projeter l'image qui contenait le paradoxe de la vie facile. Brock continua ensuite à présenter son résumé :

«Je vous suggère de consigner dans votre mémoire le diagramme du paradoxe de la vie facile ainsi que les messages qui vont avec. Ne l'oubliez jamais. S'il arrive que quelque chose dans votre vie ne fonctionne pas de la façon que vous aimeriez, pensez à la façon d'utiliser le paradoxe de la vie facile pour vous remettre sur le bon chemin.

«Il se peut qu'une ou deux personnes parmi vous n'acceptent jamais le paradoxe de la vie facile, que ce soit aujourd'hui, demain ou dans dix ans, parce qu'il est plus facile d'être une victime et de ne pas avoir à prendre de responsabilités dans la vie. Cependant, plusieurs d'entre vous l'accepteront et commenceront à voir des résultats dès demain. D'autres vont résister aux principes pendant un mois ou deux. Et puis, un jour, alors que ces personnes seront en train de marcher dans la rue, le paradoxe de la vie facile leur deviendra aussi évident que le soleil qui brille au dessus de leur tête. Elles réaliseront alors que leur niveau d'acceptation du paradoxe déterminera la quantité de satisfaction, de projets réalisés, de bonheur qu'elles ressentiront tout au long de leur vie. Elles commenceront à le mettre en pratique, et leur vie changera de façon remarquable. Et elles regretteront d'avoir mis autant de temps à le mettre en pratique. Mais, au moins, elles auront mis en route leur vie à ce moment-là.

«Comprenez bien que le paradoxe de la vie facile ne pardonne pas, tout particulièrement à ceux qui ont une mentalité de victime. Les victimes autoproclamées, en général, n'accomplissent jamais rien de bien et, ici, nous ne parlons même pas de la désillusion et de la douleur auxquelles elles s'exposent. Être une victime peut vous apporter une sensation de sécurité parce que vous vous trouvez en terrain connu. Cependant, il n'y aura pas de récompense. Il n'y a également aucune raison d'être une victime. Pour reprendre ce que Mark Twain a dit : "Il existe mille excuses, mais aucune bonne raison". Être une victime est un choix que l'on fait; être libéré en est un autre. La seule façon de se libérer est de changer notre manière de penser et d'accepter le fait que ce ne sont pas les circonstances qui déterminent la qualité de notre vie, mais comment nous réagissons à ces circonstances.

«On peut arriver à se libérer de tous les problèmes récurrents qui surviennent dans tous les secteurs de sa vie. Il est possible d'opérer un changement majeur si vous vous conditionnez à travailler dans ce sens sur ce qui est difficile et pénible en premier. Que ce soit changer de carrière, monter une affaire, déménager dans un autre pays ou trouver un nouveau conjoint, cela ne sera pas facile. Cependant, à long terme, l'entreprise sera plus facile que de vous résigner à continuer à vivre une situation personnelle qui vous procure un certain confort mais qui vous prive de vie et de bonheur.

«N'oubliez pas : rien ne sera facile si vous mettez en pratique le fameux paradoxe. Pour tout ce qui vaut la peine d'être obtenu, on doit payer un prix qui peut être élevé et difficile. Cela comprend l'amitié, l'amour, l'indépendance financière, un mode de vie équilibré et la liberté. Ne commettez pas l'erreur de penser que vous pouvez éviter d'acquitter ce prix : vous le payerez plus tard. Plus vite vous commencerez à payer le prix, plus vite vous commencerez à trouver le bonheur et la satisfaction personnelle.

«En général, les êtres humains sont hostiles à toutes les entreprises susceptibles de leur causer des difficultés. Faites-en un avantage. Entreprenez ce qui vous paraît difficile et aventurez-vous dans l'inconnu. Faites-moi confiance : en agissant ainsi, non seulement accomplirez-vous beaucoup de choses, mais encore, vous éprouverez un niveau de satisfaction et de bonheur que peu de personnes connaîtront durant leur vie.

«En résumé, si vous voulez créer un paradis où vous connaîtrez le bonheur et un sentiment de contentement, vous devez assumer la responsabilité de votre vie. Vous avez déjà fait preuve de responsabilité en vous inscrivant à cette première conférence. Un de mes auteurs favoris, Richard Bach, a dit : "Chaque personne et tous les événements qui se produisent dans votre vie sont là parce que vous les avez attirés."

«C'est pourquoi nous allons dire que, jusqu'à un certain point, vous avez pris la responsabilité et utilisé vos puissants pouvoirs mentaux pour faire en sorte que je crée cette conférence spécialement pour vous.

En d'autres mots, c'est vous qui avez fait en sorte que je sois ici. Car, si ce n'était pas vous qui aviez provoqué ma présence en ces lieux, je serais peut-être en train de faire de la bicyclette au parc Stanley, de prendre un bon repas bien arrosé au restaurant Bishops ou de travailler sur mon nouveau livre sur le paradoxe de la vie facile.»

«Je m'empresse de dire je suis très heureux que vous vous soyez arrangés pour que je sois ici. Je n'ai pas de plus grande satisfaction dans mon travail que lorsque j'apprends, à un moment quelconque, que quelqu'un a tiré profit de mes conférences. Cela a été le cas pour toutes les conférences que j'ai présentées et j'espère que celle-ci ne fera pas exception à la règle.

* * *

Quand la conférence fut terminée, Sheldon remarqua qu'au moins la moitié des participants se dirigeaient vers l'estrade pour féliciter Brock pour son travail. Cela ne surprit absolument pas Sheldon. Cependant, il fut surpris d'entendre des commentaires élogieux sur la façon dont Brock avait réglé le contretemps causé par Joe et Terry. Les participants trouvaient que leurs anciens professeurs n'avaient pas la bonne façon d'assurer la discipline pendant leurs cours. Sheldon en conclut que Brock mettait en pratique ce qu'il enseignait. Il était certain qu'il suivait les principes du paradoxe de la vie facile en faisant ce qui était difficile et pénible pour imposer la discipline.

Sheldon fut également très impressionné par la remarquable performance de Brock en tant que conférencier. Pendant toute la conférence, Brock avait prêté grande attention à ce que chacun avait dit. Il semblait non seulement comprendre ce que chaque stagiaire voulait dire, mais encore l'émotion sous-jacente de chaque parole de ses interlocuteurs. Sheldon avait été également très impressionné par l'efficacité dont Brock avait fait preuve dans sa façon peu orthodoxe de présenter la conférence. En fait, Sheldon avait tiré beaucoup de plaisir à voir performer le conférencier. Il savait qu'il n'était pas le seul à penser cela. Il avait surpris les commentaires admiratifs de plusieurs participantes, qui avaient presque le béguin pour lui. Sheldon admirait aussi Brock pour la confiance en lui-même qu'il affichait devant son public. De nouveau, Sheldon essaya d'imaginer quelle serait sa vie en tant qu'orateur, mais il doutait sérieusement de pouvoir surmonter sa peur de parler en public.

Après le départ des participants, Brock sortit cinq billets de vingt dollars qu'il tendit à Sheldon.

«Sheldon, merci de m'avoir aidé. Vous avez fait du bon travail. Ne dépensez pas tout votre argent au même endroit.

– Vraiment, j'ai du mal à croire que vous me payez vingt-cinq dollars de l'heure pour être votre assistant. Je vais connaître des problèmes pour trouver un travail aussi rémunérateur quand je sortirai de l'université avec mon diplôme en poche.

– Comme je l'ai déjà dit au cours de la conférence, faites bien attention à ce que vous croyez. Vous pouvez peut-être croire que vous ne valez pas vingt-cinq dollars l'heure, mais vous allez rencontrer des personnes qui vous payeront encore plus, à condition que vous fassiez toujours du bon travail. J'espère avoir bien entendu quand vous avez dit que vous alliez finir vos cours plutôt que de tout abandonner pour travailler à plein temps et vous acheter une voiture.

– Je suis vraiment décidé à le faire, dit Sheldon en sortant son cahier de notes personnel pour montrer à Brock ce qu'il avait écrit pendant la conférence.

ENGAGEMENT PERSONNEL

Moi, Sheldon Brown, en quête d'une vie plus remplie, m'engage par la présente à terminer mon cours universitaire dans les cinq mois qui suivent. Mes objectifs sont :

• D'accroître mes chances de trouver du travail;

• De tester ma volonté de vivre sans voiture pour quelques mois de plus;

• D'accroître l'estime que j'ai de moi-même et de prouver à ma mère que je peux réussir à faire quelque chose d'important;

• D'acheter une Mercedes 190 SL d'ici cinq ans.

Brock et Sheldon continuèrent leur conversation amicale pendant qu'ils remballaient l'équipement audiovisuel. Quand ils eurent fini, Brock raccompagna Sheldon chez lui dans la Mercedes 190 SL qu'il avait prise exprès cette journée-là, sachant très bien que Sheldon serait enchanté de s'être promené dans une telle voiture. Au moment où il laissait Sheldon devant la maison de sa tante, Brock invita Sheldon à dîner à la maison afin que l'étudiant puisse aussi rencontrer son amie.

Chapitre III

POUR CHOISIR UNE CARRIÈRE, NE VOUS FIEZ PAS
À CE QUI SERT D'INSPIRATION
AUX AUTRES MEMBRES DE LA SOCIÉTÉ.
FAITES CONFIANCE À VOTRE PROPRE INSPIRATION.
C'EST DE CETTE DÉCISION SEULEMENT QUE DÉPENDRA
UN TIERS DE VOTRE SOUFFRANCE OU DE VOTRE BONHEUR DANS
LA VIE.

Après avoir assisté à cette première conférence, Sheldon eut une vision beaucoup plus positive de sa vie. Sa motivation pour terminer son cours de marketing à l'université était également beaucoup plus forte. Il ne manquait aucun cours et s'efforçait d'étudier de deux à trois heures par jour, mais ce n'était toujours pas facile pour lui de se passer de voiture. Cependant, il se souvenait d'un chose que le révérend Thomas avait l'habitude de dire et qui s'énonçait à peu près en ces termes : «Bien sûr, la vie est dure. La question que vous devez vous poser est celle-ci : Et alors?»

Le dimanche qui suivit la première conférence, Sheldon prit la route de la maison de Brock. L'après-midi était chaude et pleine de nuages mais au moins, il ne pleuvait pas. Sheldon garda un esprit positif pendant la longue marche de la maison de sa tante, située dans l'est de Vancouver, jusqu'au quartier de Kitsilano où Brock habitait. Il réalisait que ce n'était qu'une question de temps avant qu'il s'achète une voiture et qu'il n'ait plus besoin de marcher des distances aussi longues, à condition bien sûr de finir son cours universitaire.

Comme il approchait de la maison de Brock, qui était située sur l'avenue Ogden, Sheldon se rappela avoir déjà marché par là et avoir pensé qu'il aimerait bien habiter dans ce quartier de la ville. Il avait même déjà songé qu'il serait sympathique de connaître quelqu'un qui habite dans ce quartier juste pour pouvoir visiter une de ces belles demeures. Lorsqu'il arriva à l'adresse indiquée par Brock, il vit une maison moderne à deux étages dont les revêtements extérieurs étaient en cèdre, avec de nombreuses fenêtres et des puits de lumière sur le toit. Ce n'était pas une très grande maison; elle devait faire environ 1 500 pieds carrés. Néanmoins, c'était une maison unique en son genre, dont les plans avaient certainement été conçus par un architecte, un habitat qui respirait le confort et la largeur d'esprit.

Sheldon gravit les marches et sonna à la porte d'entrée. Quelques secondes plus tard, une belle jeune femme aux cheveux foncés, qui paraissait être dans la trentaine avancée, ouvrit la porte.

«Bonjour, je m'appelle Silvina. Brock dit souvent de moi que je suis sa petite amie, mais il m'arrive parfois de penser que je ne suis pas la seule, dit la jeune femme en plaisantant. Vous devez être Sheldon.

– Oui, c'est moi, dit Sheldon en lui serrant la main. Brock m'a parlé de vous au cours de la conférence. Enchanté de faire votre connaissance.

– Moi aussi, je suis heureuse de faire votre connaissance, Sheldon, dit Silvina d'un ton chaleureux. Entrez, s'il-vous-plaît.

– Où est Brock? demanda Sheldon en entrant dans le salon.

– Il est en haut; il travaille sur son prochain livre pendant que je prépare le dîner. Normalement, lorsque Brock et moi dînons chez lui, je le laisse préparer le repas et faire la vaisselle. Je lui dis que ma contribution réside fondamentalement dans ma brillante conversation», dit en plaisantant Silvina.

Silvina continuait à parler lorsque Brock entra tout à coup dans le salon : «Cependant, aujourd'hui, c'est moi qui fais la cuisine pour qu'il ne se surmène pas. Vous savez déjà combien il est pénible pour lui d'avoir à travailler plus de quatre ou cinq heures par jour…

– Ah! Ah! Silvina», dit Brock en souriant, tu devrais peut-être me laisser faire des plaisanteries de meilleur goût…»

Brock se tourna ensuite vers Sheldon.

«Bonjour, Sheldon, je suis enchanté que vous ayez pu venir. Il m'est passé par l'esprit qu'il y avait une faible possibilité que vous décidiez de ne pas venir dîner ce soir. J'ai pensé que peut-être vous trouveriez cela trop éprouvant de me revoir aussi vite après la première conférence.

– Oui, il est vrai que j'ai failli trouver une excuse pour ne pas venir ce soir, mais je me permets d'être masochiste de temps à autre. C'est pourquoi je suis ici, dit Sheldon en plaisantant.

– Trève de propos aigres-doux, répliqua Brock. Silvina me donne déjà suffisamment de problèmes ici. C'est ce qu'elle appelle une "conversation intelligente" – elle essaye de me faire sortir de mes gonds.

– Ne vous en faites pas en ce qui concerne le fait de le faire sortir de ses gonds. Il est capable d'encaisser, reprit Silvina en retournant vers la cuisine. Je vais faire la salade tout de suite pour qu'il ne se plaigne pas qu'il ait eu à préparer quoi que ce soit du repas d'aujourd'hui. En attendant, demandez-lui de vous faire faire le tour du propriétaire, si cela vous tente de voir le reste.

– Oui, j'en ai vraiment envie. La maison a l'air très intéressante», dit Sheldon.

Après que Brock ait fait visiter à Sheldon les autres pièces, toutes meublées et arrangées avec goût, ils aboutirent dans le bureau au deuxième étage, une pièce meublée de façon plus luxueuse que la majorité des bureaux de chefs d'entreprise.

«Vous possédez une maison vraiment très confortable et un bureau magnifique, reconnut Sheldon. Comment avez-vous réussi à économiser suffisamment d'argent pour vous payer une résidence aussi luxueuse en à peine sept ans? La plupart des gens ont une hypothèque et ne finissent par rembourser leur maison qu'au bout de vingt ou vingt-cinq ans.»

– Tout ce qu'il m'a fallu faire, c'est appliquer les principes du paradoxe de la vie facile à ma carrière pour réussir à gagner suffisamment d'argent et ensuite, les appliquer à mes finances pour parvenir à économiser, répondit Brock. Pendant plusieurs années, j'ai vécu très simplement, selon un mode de vie que la plupart des gens considéreraient comme moins que confortable. J'ai possédé de vieilles voitures rouillées et habité dans des appartements bon marché dans lesquels personne n'aimerait mourir. Pendant que je faisais cela, j'ai réussi à économiser plus d'argent que des personnes qui avaient trois fois mon salaire.

– J'ai l'impression que le paradoxe de la vie facile peut facilement devenir une obsession, remarqua Sheldon.

– C'est tout à fait vrai, mais c'est une bonne obsession à avoir, répondit Brock. En dépit du fait que cela puisse devenir une obsession, si vous laissez faire, je vous conseille d'utiliser le paradoxe de la vie facile comme un guide qui vous aidera à vous préparer une vie meilleure. Il est important de suivre les principes pour accomplir des choses toujours plus importantes et toujours meilleures que ce que la majorité des gens arrivent à accomplir, y compris payer complètement une maison plus que décente en quelques années.

– C'est plus facile à dire une fois que vous avez réussi, remarqua Sheldon. Que dois-je faire pour arriver à me payer une maison aussi vite?

– Tout d'abord, finissez votre cours universitaire et ensuite, trouvez vous une bonne carrière où vous pourrez gagner beaucoup d'argent.

– Je ne sais pas quel genre d'emploi me procurera cela, dit Sheldon en haussant les épaules.

– Quelle est la chose que vous aimeriez faire plus que tout au monde?

– Gagner beaucoup d'argent, répondit Sheldon tout d'un coup. Pour le reste, je n'en sais rien encore.

– Ce n'est pas suffisant, déclara Brock. Vous devez être plus précis. Vous devez prendre le temps de découvrir ce que vous aimez faire et ensuite, le faire. Cela peut s'avérer extrêmement difficile, mais ce n'est pas une raison pour ne pas le faire. Il est très important que le travail que vous allez chercher vous enthousiasme, sans tenir compte de ce qu'il peut vous rapporter financièrement pendant les premières années. Les personnes qui font un métier qu'elles aiment et qui, parallèlement, développent leur personnalité, réussissent obligatoirement dans leur travail. Elles finissent par gagner beaucoup d'argent, même si cela n'était pas le but recherché.»

C'est à vous de décider de ce que
vous allez faire des conseils des autres.
Cependant, soyez certain d'une chose :
après avoir tout entendu sur le sujet,
la meilleure raison pour choisir votre vocation
sera que personne ne vous aura dit de le faire.

«Eh bien, mon idéal serait d'être quelqu'un comme vous, dit Sheldon. Après vous avoir vu présenter votre conférence, j'ai compris que je voulais devenir un conférencier professionnel, mais je n'en ai pas les capacités. Cela me relègue à ma deuxième option, c'est-à-dire trouver un emploi dans le marketing après avoir obtenu mon diplôme.

– Faites-moi confiance, dit Brock. Vous avez les capacités nécessaires pour devenir soit un conférencier professionnel, soit un spécialiste en marketing. Il suffit d'étudier ce qui est obligatoire pour devenir excellent dans l'option que vous choisissez.

– Je ne pense pas pouvoir surmonter ma peur de parler en public – ce qui est indispensable pour devenir un orateur professionnel.

– Pourquoi pas? Vous ne pensez quand même pas que je suis venu au monde avec ce talent?

– Vous n'avez certainement pas peur de parler en face de soixante-treize personnes...

– À l'heure actuelle, non. Je pourrais parler en face de dix mille personnes et je n'y verrais aucune différence. Cependant, il fut un temps où j'avais tout autant peur que vous de m'exprimer en public – peut-être même encore plus. Lorsque j'étais à l'université, j'avais peur d'avoir à prendre la parole dans la classe et nous n'étions que neuf étudiants! Je vivais constamment dans l'angoisse qu'un de mes professeurs me pose une question. La fois où cela est arrivé, ma voix s'est mise à chevroter et mon corps entier a été pris de tremblements lorsque j'ai dû prononcer quelques mots.

– Comment vous êtes-vous débarrassé de votre peur?

– J'ai fait ce qui était difficile et désagréable. Je ne suis même pas allé chez *Toastmasters* [3], comme le font tellement de personnes. Tout d'abord, je me suis inscrit pour un travail d'assistant pendant que je faisais mon M.B.A. Mon travail consistait à animer une classe de travaux pratiques dirigés à dix étudiants. Bien que ceux-ci aient estimé que j'avais fait du mauvais travail, cela a suffi pour faire diminuer un peu ma peur de parler en public.»

Brock continua. «Un peu plus tard, lorsque j'ai obtenu un emploi d'instructeur dans une école qui enseignait la motivation personnelle, j'ai éprouvé encore une peur atroce, spécialement le premier jour, lorsque je suis entré pour donner mes deux premiers cours. J'étais tellement terrifié que j'ai dû terminer ces deux cours au bout de quinze minutes. Lorsque je suis rentré chez moi ce soir-là, j'ai signé avec moi-même un contrat qui ressemblait beaucoup avec celui que j'ai montré pendant la conférence. Mon contrat stipulait que, quoiqu'il arrive – même si l'enseignement devait me tuer –, je ferais face à mes peurs et remplirais ma tâche d'instructeur jusqu'à la fin du trimestre.

– Cela a du être extrêmement difficile, commenta Sheldon.

– Oui, ce le fut, mais la période difficile n'a pas duré et n'a pas été aussi compliquée que je le croyais au départ. Au fait, c'est à ce moment-là que j'ai commencé à réaliser le concept du paradoxe de la vie facile et à percevoir le pouvoir qu'il apporte. Et c'est en empruntant la voie difficile et désagréable que tout s'est bien déroulé. Une semaine plus tard, mon appréhension avait beaucoup diminué. Assez étonnamment, lorsqu'arriva la fin du trimestre, j'éprouvais tellement de plaisir en tant qu'instructeur que je ne voulais plus partir. Certains de mes étudiants eurent même de meilleurs résultats que ceux des autres instructeurs de l'école.

– C'est donc votre poste d'instructeur dans cette école qui vous a aidé à devenir un orateur professionnel?» demanda Sheldon.

– Ce fut le début, mais cela n'était pas encore facile à ce moment-là. Il est certain que pour être conférencier professionnel dans des congrès

---

[3] Organisation américaine dont la devise est «*Mieux comprendre par l'écoute, la pensée et la parole*». Comprend 8 600 clubs à travers le monde dont l'objectif est de permettre à leurs membres de communiquer plus facilement.

ou dans des conférences, il faut être un bon orateur au départ. Cependant, ce n'est pas assez. Vous devez également avoir une bonne renommée.

– Comment une personne peut-elle atteindre la renommée?

– Si vous n'êtes pas dans le domaine du sport ni dans celui du cinéma, que vous n'êtes pas une vedette des médias, c'est en écrivant un livre que vous pouvez arriver à être connu. Dans mon cas, c'est après avoir écrit *Ayez de grandes idées dans un petit monde* que j'ai obtenu de la crédibilité auprès des organisateurs de conférence.

– Vous êtes en train de me dire que, moi aussi, je devrai écrire un livre pour devenir conférencier professionnel, répliqua Sheldon. Cela m'enlève toute chance.

– Pourquoi? À une certaine époque, je ne pensais pas être capable d'écrire un livre. J'ai même dû refaire le cours d'anglais de première année trois fois de suite. L'université ne voulait pas me laisser monter en quatrième année, tant que je n'avais pas réussi le cours pendant la session d'été. Si vous savez lire et écrire, vous pouvez devenir l'auteur d'un livre. Un livre n'est ni plus ni moins qu'un long travail de fin de trimestre.»

– N'y a-t-il pas des gens qui naissent avec un talent d'écrivain? demanda Sheldon.

– C'est vrai, certaines personnes naissent avec davantage de talent que d'autres et ce talent leur donne un potentiel plus grand pour exceller dans un certain nombre de choses, y compris pour devenir un écrivain accompli. Cependant, pour écrire un livre, il faut de la persévérance et un sens de l'engagement. Regardez-moi, par exemple : je connais très bien mes limites en tant qu'écrivain. Mon talent n'approchera jamais ceux de quelqu'un comme George Bernard Shaw, Jean-Paul Sartre, ou celui d'un récipiendaire du Nobel de littérature. Je vous assure que si l'on me donnait le prix Nobel de littérature, il y aurait des émeutes dans toutes les capitales…

«D'un autre côté, je ne permettrai pas à mes limites de m'empêcher d'écrire les livres que je suis capable d'écrire. Il ne se passe pas une semaine sans que je rencontre quelqu'un de bien plus intelligent et possédant bien plus de talents littéraires que moi, qui veut écrire un livre désespérément mais qui n'y arrive pas. Et pourtant, moi, je l'ai fait. Il est certain que j'ai réalisé il y a un certain temps que je ne pouvais pas écrire un livre de la qualité de ceux que William Shakespeare a écrits, mais ceux que j'écris sont bien de moi.

«Mes exploits "littéraires" sont avant tout le résultat d'un engagement que j'ai pris envers moi-même d'écrire un minimum de trois heures par jour. J'essaye d'écrire quatre pages pendant ces trois heures. Ces pages n'ont pas besoin d'être des chefs-d'œuvre de littérature. Quelquefois, il arrive qu'elles soient moins que bonnes, mais j'ai au moins quatre pages sur lesquelles je peux travailler. Si je ne respecte pas mon engagement et que j'écris pendant quinze minutes au lieu de trois heures, je m'approche quand même davantage de mon objectif que les personnes qui parlent d'écrire un livre mais ne le font jamais. Vous avez dû remarquer que cela prend un temps fou pour terminer une chose sur laquelle vous ne travaillez pas...

– Peut-on prendre des cours pour apprendre à écrire des livres? demanda Sheldon.

– Bien sûr, mais ce n'est pas nécessaire.

– Quelle est l'alternative?

– Comme le dit le slogan de la société Nike, "Faites-le", répondit Brock. En d'autres termes, faites ce qui est difficile et désagréable et commencez à écrire. La majorité des écrivains célèbres n'ont jamais suivi de cours pour apprendre à écrire des livres.

– La majorité des écrivains célèbres sont en général des personnes qui ont beaucoup de talent. C'est pourquoi, pour eux, écrire un livre est chose facile.

– Pas du tout, répliqua Brock. Ainsi, Richard Bach a écrit plusieurs livres à succès, dont *Jonathan Livingston le goéland*, mais il a admis qu'il trouvait qu'écrire était difficile. Ernest Hemingway proclamait qu'il relisait souvent ses anciens livres pour se réconforter et aussi, pour se rappeler comme cela peut être parfois difficile et presque toujours impossible d'écrire. Joseph Heller, l'auteur de *Catch 22*, a bien résumé la situation lorsqu'il a dit que tous les grands auteurs éprouvaient de la difficulté à écrire.

– Si cela est si difficile, pourquoi les écrivains choisissent-ils d'écrire?

– Si vous savez que vous voulez vraiment devenir écrivain, il vous sera encore plus difficile de ne pas écrire que d'écrire. La même règle s'applique si vous voulez devenir un orateur professionnel ou pour quoi que ce soit que vous souhaitiez faire et qui vous apporterait une vie remplie et satisfaisante. Comme quelqu'un l'a déjà dit : "Ce n'est pas ce que vous êtes devenu que vous regretterez à la fin, mais plutôt ce que vous n'êtes pas devenu."

– Il existe beaucoup de personnes dont l'objectif est de devenir écrivain ou conférencier professionnel, qui font tout pour y arriver mais qui n'atteignent pas leur but, fit remarquer Sheldon.

– Oui, acquiesça Brock. Cependant, lorsque vous poursuivez votre objectif de façon vraiment active, vous augmentez vos chances d'y parvenir – beaucoup plus que celui ou celle qui ne fait qu'en parler et en rêver. Je vais vous citer une phrase de Henry David Thoreau : "Si quelqu'un fait un pas en toute confiance en direction de son rêve et qu'il essaye de vivre la vie qu'il a imaginée, on peut dire qu'il réussit beaucoup mieux que celui qui se garde de partir à la poursuite de ses rêves".»

Sheldon posa une autre question : «Mais, alors, pourquoi les personnes qui n'aiment pas leur travail ne partent-elles pas à la poursuite de carrières plus gratifiantes?

– Si on leur laisse le choix entre rechercher quelque chose de mieux et continuer leur triste existence, la plupart des gens optent pour une vie besogneuse et usante. Ils vont tolérer de se faire harceler par leur patron, de subir de mauvaises conditions de travail, d'occuper des fonctions sans avenir et d'un mortel ennui. En outre, lorsqu'on recherche une meilleure carrière, il faut être prêt à changer, à prendre des risques, à consentir à d'autres sacrifices comme accepter une baisse de revenus pendant un an ou deux. La majorité des gens trouvent qu'il est plus facile de rester en terrain connu, même si cela n'offre que l'ennui et un travail ingrat.

«Néanmoins, il y a quand même beaucoup de personnes prêtes à faire des sacrifices pénibles pour pouvoir se créer un avenir plus facile et plus agréable. Prenons John Grisham, par exemple : il n'aurait jamais eu le succès qu'il a connu s'il n'avait pas quitté son métier d'avocat pour poursuivre son rêve d'écrire des romans à suspense qui se trament autour du droit et de la jurisprudence [4].

– Cela doit être génial d'être un auteur à succès comme John Grisham, suggéra Sheldon.

– *Vouloir* être génial n'est pas une bonne raison pour commencer à écrire des livres, répliqua Brock. Les gens devraient écrire des livres parce qu'ils aiment écrire ou parce qu'ils ont quelque chose d'important à partager avec les autres. Il y a, bien entendu, de nombreux avantages à être un bon auteur, mais je ne dirais pas qu'être génial en fasse partie.

– Gagner beaucoup d'argent doit être le meilleur avantage, affirma Sheldon.

*Travailler seulement pour de l'argent
ne sera pas forcément synonyme de réussite.
Arrêtez de penser à l'argent sous toutes ses facettes
et vous réaliserez que sous bien des aspects,
l'argent est totalement absurde.
Alors, pourquoi y tenez-vous à ce point-là?*

– Loin de là, répliqua Brock. Il est certain qu'être un auteur offre de meilleures chances de gagner beaucoup d'argent en un temps relativement court. Cependant, cela procure des récompenses encore plus grandes à un autre niveau : aventure, satisfaction personnelle, reconnaissance des lecteurs et, même, une meilleure connaissance de soi. La grande majorité des écrivains reconnus déclarent que la plus grande récompense n'est pas la récompense financière, mais l'émotion ressentie à partager leur conception du monde avec d'autres et à savoir que leur public a ressenti du plaisir à lire leurs œuvres. Il y a même là un sentiment de réalisation spirituelle. Vous pouvez partager ces bénéfices si vous êtes prêt à faire toutes les choses difficiles qui sont nécessaires pour écrire un livre et en faire un succès de librairie.

---

[4] Auteur de best-sellers américains dont *L'Affaire Pélican, La Firme, L'Engrenage, Le Testament, La Dernière récolte*, etc.

– Il est certain que si écrire est si difficile, cela doit être moins compliqué d'écrire votre deuxième livre sur le *Paradoxe de la vie facile* que votre premier sur la créativité, remarqua Sheldon.

– Pas du tout, répliqua Brock. D'une certaine façon, je trouve qu'il est plus difficile d'écrire le deuxième livre. J'ai envie de tout lâcher un jour sur deux, mais je continue à respecter mon engagement de travailler sur le livre pendant trois heures par jour. En fait, après m'être éreinté sur cet ouvrage pendant trois mois, la plus grande difficulté à laquelle j'ai eu à faire face a été de trouver un titre accrocheur. J'ai réfléchi à des centaines de titres, mais pas un seul n'a retenu mon attention. Je sais toutefois que si je fais ce qui est difficile et désagréable et que je continue de chercher, je finirai par le trouver.

– Pourquoi ne l'appelez-vous pas tout simplement *Le Paradoxe de la vie facile*? demanda Sheldon.

– C'est trop rasoir! s'exclama Brock. Je veux un titre qui ait plus de vie. D'ailleurs, si vous pensez à un titre à tout casser, je vous donnerai 500 dollars...»

– Cinq cents dollars! s'exclama Sheldon. Êtes-vous sérieux?

– Bien sûr que je suis sérieux. C'est le titre qui fera que les acheteurs éventuels prendront le livre entre leurs mains dans les librairies et qu'ils finiront par l'acheter. Le titre est également très important pour faire la publicité du livre.

– Eh bien! Pour cinq cents dollars, je vais certainement y réfléchir beaucoup, remarqua Sheldon.

– Ne laissez pas cela vous distraire de vos études, dit Brock, qui fit une pause pour consulter sa montre.

– Je pense que nous avons parlé assez longtemps du métier d'écrivain et de celui d'orateur. Allons dîner, sinon Silvana risque de donner ce repas aux chiens du voisin pour se venger du fait que nous sommes en retard...»

À table, Sheldon en apprit davantage au sujet de Brock et de Silvana. Cette dernière était Sud-Américaine et avait déménagé de Buenos Aires à Vancouver. Elle et Brock s'étaient rencontrés lors d'une partie de tennis sur un des courts publics de la plage de Kitsilano. Ils allaient souvent dîner dans de bons restaurants, et il leur arrivait de voyager ensemble vers des destinations comme Hawaii ou la Grèce. Tous les deux faisaient du sport et passaient au moins une heure et demie par jour à pratiquer un exercice énergique pour se garder en forme et conserver la meilleure santé possible. Ils étaient très indépendants tous les deux et aimaient passer du temps chacun de leur côté. Silvina possédait sa propre maison à huit cents mètres de celle de Brock.

Après le dîner, Brock et Sheldon lavèrent la vaisselle. Quand Sheldon demanda à Brock pourquoi il ne possédait pas de machine à laver la vaisselle dans sa maison d'autre part très bien équipée, ce dernier lui répondit qu'il n'avait pas besoin de tous les conforts du monde pour être heureux. Il trouvait également que nous gaspillons beaucoup d'argent en luxes inutiles et que la raison pour laquelle beaucoup de gens ont autant de problèmes financiers, c'est qu'ils s'offrent du luxe dont ils n'ont pas besoin.

Plus tard, Sheldon, Silvana et Brock continuèrent leur conversation dans le jardin. Sheldon regarda Brock et dit : «Brock, j'étais en train de penser combien j'aimerais avoir une petite amie comme Silvina.

– Cela pourrait être dangereux, dit Brock en plaisantant.

– Je pense sérieusement que vous pourriez me donner un coup de main, dit Sheldon. Vous ne pouvez pas conduire deux voitures sport en même temps. Pourquoi ne me prêteriez-vous pas la Mercedes 190 ou la Porsche 924 pendant une semaine pour que je puisse faire une bonne impression sur les femmes à l'université? Je pourrais peut-être rencontrer une fille géniale.»

Brock lança à Sheldon un coup d'œil qui fit penser à ce dernier qu'il avait de la chance qu'ils soient des amis et non des ennemis.

Avant que Brock puisse répondre, Silvana se mit à parler : «Sheldon, s'il vous faut à tout prix une belle auto pour impressionner les femmes et faire en sorte qu'elles aient une opinion favorable de vous, ce n'est vraiment pas le genre de créatures que vous devez fréquenter, car elles ne vous apporteront rien à long terme. Elles ne feront que courir après vous pour vos signes extérieurs de richesse, mais elles ne vous aimeront jamais vraiment.

– Brock avait-il une belle auto quand il vous a rencontrée? demanda Sheldon.

– Quand j'ai rencontré Brock, il conduisait une Toyota Celica pourrie qui, où que nous allions, était toujours le tacot le pire à regarder, dit Silvana en riant. Avant de rencontrer Brock, je suis sortie avec des hommes qui étaient parmi les plus intelligents, les plus beaux et les plus riches de Vancouver. Ils possédaient tous des voitures tape-à-l'œil, portaient des vêtements griffés par des designers et me sortaient dans les restaurants les plus chics. Et pourtant, pas un seul d'entre eux ne m'a impressionnée comme l'a fait Brock. Ce que j'ai aimé chez Brock, c'était qu'il sortait de l'ordinaire. Il faisait ce qu'il avait à faire et n'avait pas besoin d'une belle auto ou de quoi que ce soit d'autre pour se sentir bien. Il m'emmenait dans de bons restaurants plutôt que dans ceux où l'on doit être vus pour être à la mode.»

Brock ajouta alors : «Silvana l'a dit mieux que je n'aurais pu le faire. Une chose est certaine : vous ne rencontrerez jamais de petite amie valable en conduisant la voiture de quelqu'un d'autre. Il y a une autre chose aussi à laquelle vous n'avez pas pensé : vous n'apprécierez pas vraiment conduire une voiture sport tant qu'elle ne vous appartiendra pas vraiment et que vous ne l'aurez pas achetée avec de l'argent que vous aurez gagné soit par un travail ardu, soit en faisant des efforts de créativité.

– J'ai compris, répondit Sheldon aimablement, le paradoxe de la vie facile s'applique encore ici.

– Vous apprenez bien vite, mon garçon, dit Brock en souriant.

Il se pourrait bien que vous ne le sachiez pas,
mais votre ange gardien le sait.

Il se pourrait bien que la meilleure chose qui puisse vous arriver
soit de ne pas pouvoir acquérir toutes les choses
que vous désirez tant au moment précis où vous les voulez.

Pendant que Sheldon, Brock et Silvana continuaient à plaisanter, une petite fille de neuf ans entra lentement par la porte du jardin. Elle était handicapée et devait marcher à l'aide d'un déambulateur, car ses jambes ne pouvaient la porter sans point d'appui.

«Bonsoir, Silvina! Bonsoir Brock! dit-elle joyeusement, avec un grand sourire.

– Bonsoir Korina! répondirent à l'unisson Brock et Silvina.

Il se passa plusieurs secondes pendant lesquelles Korina, toujours souriante, progressa péniblement à travers le jardin. Quand elle se trouva à deux mètres des trois adultes, elle jeta un regard interrogateur sur Sheldon.

«Comment vous appelez-vous? demanda-t-elle joyeusement. Je m'appelle Korina.»

Sheldon lui sourit : «Je m'appelle Sheldon. Comment vas-tu?

– Bien, dit-elle en regardant Sheldon avec curiosité. Je suis venue faire une petite visite à Brock et à Silvina. Brock est mon voisin. Silvana et lui sont de bons amis à moi. Que faites-vous ici?

– Eh bien! Brock et Silvina ne sont pas mes voisins, mais j'espère un jour pouvoir les compter comme des amis très proches, comme ils semblent de toute évidence l'être pour toi.

– Korina n'est pas seulement notre amie, dit Silvana à Sheldon. Beaucoup de personnes pensent qu'elle est une petite fille remarquable et d'une incroyable intelligence.»

Soudainement, Korina tourna la tête et pointa du doigt quelque chose qui se trouvait derrière Silvina.

«Regardez le papillon… regardez! il est magnifique!» s'exclama-t-elle en essayant de l'attraper. «Ne serait-il pas merveilleux de devenir un papillon?»

Cette expression de joie et d'émerveillement fut l'une des nombreuses manifestations du genre dont la fillette fit preuve pendant l'heure et demie qui suivit. Elle avait une façon originale d'attirer les gens vers elle et Sheldon n'y fit pas exception. Quand arriva le moment où Korina dut rentrer chez elle, Sheldon était tombé complètement sous son charme. Elle n'avait pas mentionné son handicap une seule fois et ne semblait aucunement en souffrir psychologiquement.

Brock et Silvana racontèrent plus tard à Sheldon que Korina semblait trouver du plaisir dans la vie plus que quiconque de son âge ou plus vieux. Korina refusait de reconnaître son handicap comme quelque chose susceptible de la limiter, que ce soit dans le présent ou dans l'avenir. Sa mère lui avait dit que tout le monde avait un handicap, que ce soit la pauvreté, l'obésité, le fait d'avoir un quotient intellectuel plus bas qu'une autre personne ou de ne pas être en aussi bonne santé que quelqu'un d'autre. Et comme Korina était spécialement douée intellectuellement parlant, comme le prouvaient ses notes à l'école, la plupart des gens étaient handicapés lorsqu'on les comparait à elle sur ce point-là.

Une fois Korina partie, Brock regarda Sheldon et dit : «Eh bien, combien d'adultes en bonne santé, libres de handicap, intelligents, ayant fait d'excellentes études et possédant de la richesse affichent un tel amour de la vie?

– Aucun, répondit Sheldon en souriant. Il est incroyable de penser qu'avec son handicap, elle n'ait pas une mentalité de victime. C'est dommage que vous n'ayez pas pu l'enregistrer sur cassette vidéo pour la montrer lors d'une de vos conférences.

– En fait, répondit Brock, étant donné que Korina insiste depuis longtemps pour venir assister à une de mes conférences afin de voir comment je travaille en tant qu'orateur public, Silvana va me l'amener la prochaine fois. Les stagiaires pourront la rencontrer et voir comment cette petite fille irradie la joie. Il n'est pas surprenant qu'après l'avoir rencontrée pour la première fois, elle devienne une grande source d'inspiration pour beaucoup de gens. Même les personnes vraiment négatives, qui ne trouvent aucun sujet de réjouissance dans la vie, découvrent chez elle une bouffée d'air frais.»

Vous avez plus de raisons de vous sentir privilégié
aujourd'hui que vous ne voulez bien l'admettre.

Imaginez-vous combien vous vous sentiriez heureux
si Dieu vous enlevait tous vos talents naturels
et vous les rendait par la suite.

Chapitre IV

QUAND ON PERD LA RICHESSE, ON PERD PEU;
QUAND ON PERD DU TEMPS, ON PERD BEAUCOUP PLUS;
QUAND ON PERD LA SANTÉ, ON A PRESQUE TOUT PERDU;
ET QUAND ON A PERDU SON ESPRIT CRÉATIF,
IL NE NOUS RESTE PLUS RIEN.

Sheldon arriva à la deuxième conférence en ressentant moins de scepticisme que lorsqu'il était arrivé à la première. À nouveau, il aida Brock à installer le système audiovisuel et distribua les étiquettes qui portaient les noms des stagiaires. Sheldon surprit nombre de conversations que les stagiaires avaient entre eux au sujet de la première conférence. Ils se demandaient qui allait revenir à cette deuxième rencontre. En fait tout le monde réapparut, y compris Joe.

Silvina et Korina entrèrent dans l'auditorium une quinzaine de minutes avant le début de la conférence. Korina avança lentement vers l'endroit où était assis Sheldon pour lui dire bonjour et lui demander ce qu'il faisait. Après que Sheldon lui eut expliqué qu'il aidait Brock et qu'il s'occupait de l'ordinateur portable, elle retourna s'asseoir avec Silvina au fond de la salle. La majorité des stagiaires la regardaient avec curiosité pendant qu'elle marchait lentement mais de façon déterminée à travers la salle. Elle souriait à tous ceux qui la regardaient.

* * *

Brock commença la session de façon beaucoup plus décontractée et contenue que la première fois.

«Bonjour à tous», dit-il tout simplement avec un sourire.

Les stagiaires répondirent par un salut, un bonjour, et des sourires.

Brock continua : «Ce soir, nous allons passer un certain temps à appliquer le paradoxe de la vie facile afin que vous puissiez faire preuve de plus de créativité et découvrir de nouvelles perspectives dans votre travail et dans votre vie privée – une entreprise méritoire, vous en conviendrez. Puis, nous allons essayer de vous fournir des sources d'inspiration pour que vous soyez en quelque sorte obligés d'atteindre la réussite. Cependant, avant de mettre en route votre pouvoir de créativité, essayons de découvrir si quelqu'un a profité de la dernière conférence – particulièrement des bénéfices du paradoxe de la vie facile qui s'appliquaient à la volonté de renoncer à être une victime des circonstances et à celle de prendre en main vos problèmes.»

D'une façon surprenante, Joe, l'Amérindien qui, avec Terry, avait été à la source de la dissipation durant la première conférence, fut le premier à prendre la parole. Il commença par s'excuser de sa conduite passée et par remercier Brock de l'avoir convaincu de rester jusqu'à la fin de la première conférence. Ensuite, il raconta comment il avait emprunté la voie difficile et désagréable en risquant d'être rejeté par une femme qui l'intéressait vraiment.

«La première fois, cela a été vraiment difficile, expliqua-t-il. Je me suis approché d'elle à la bibliothèque et nous avons échangé quelques paroles anodines pendant environ deux minutes. Je suis parti en pensant qu'elle avait dû me prendre pour un parfait imbécile. Le jour suivant, je la rencontre à nouveau. Je me suis alors dit qu'étant donné que je m'étais conduit comme un idiot la veille, cela ne serait pas grave si je recommençais. Cette fois-là, je lui ai parlé pendant vingt minutes. Et, la fois suivante, je lui ai parlé pendant deux heures. Je ne peux pas encore y croire, mais je l'ai invitée à dîner samedi soir au Chianti.»

Des applaudissements fusèrent avant même que Brock puisse répondre sur un ton amusé : «Mon Dieu, Joe! Je m'attendais à ce que vous nous racontiez comment vous avez utilisé le paradoxe de la vie facile pour gagner un peu plus d'argent et non pour en dépenser pour un rendez-vous galant. Plus sérieusement, merci de nous avoir fait part de la façon dont on doit prendre des risques pour obtenir ce que l'on veut de la vie.»

Plusieurs autres stagiaires partagèrent leurs expériences sur la façon dont ils avaient mis en pratique le paradoxe de la vie facile dans leur vie. Une femme raconta comment elle avait emprunté une voie désagréable et difficile en prenant la responsabilité de souligner à son ami son manque de ponctualité. Elle lui fit comprendre qu'elle n'avait plus l'intention de supporter ses retards chroniques. La semaine suivante, il arriva en avance.

Ensuite, l'homme plus âgé qui s'appelait Ben, celui qui, durant la première conférence, avait contesté vainement en soutenant que la réalité d'une personne était tout aussi valable que celle d'une autre, raconta comment son patron, qui était toujours grossier avec lui, ne l'était plus autant, tout simplement parce qu'il refusait maintenant le rôle de victime. Ben avait réalisé que lorsque son patron le traitait de «pauvre type», il ne devait pas prendre ses paroles comme des insultes personnelles. Ben avait également réalisé que la colère qu'il ressentait envers son patron empirait les paroles de ce dernier. Donc, il devenait la source de sa propre colère et le patron n'y était pour rien. En prenant la responsabilité de sa colère, Ben devint capable de s'en débarrasser.

Ting fut le quatrième stagiaire à prendre la parole. Il raconta comment il avait, une fois de plus, coupé la route à un autre automobiliste dans la circulation. L'automobiliste commença à l'invectiver au feu rouge suivant. Ting prit la voie difficile et désagréable en admettant que c'était de sa faute. L'autre conducteur fut totalement surpris et le remercia d'avoir eu la classe et l'intégrité de s'excuser.

Belinda, la femme qui avait reçu une contravention pour excès de vitesse en se rendant à la première conférence, fut la dernière à parler. Elle révéla qu'elle avait commencé à mettre en application le paradoxe de la vie facile immédiatement après la première conférence en refusant à continuer à jouer un rôle de victime.

«En premier, je sentais que j'étais une victime à cause de mon divorce récent. Cependant, après être sortie de la conférence, il y a deux semaines, j'ai fait le vœu de changer et de devenir responsable de mon propre bonheur. J'ai pris le chemin positif au lieu de prendre le négatif. Cela ne fait que deux semaines que j'ai commencé et les choses vont de mieux en mieux. Quand je commence à être dans un état d'esprit négatif et que je me sens victime, je me force à me convaincre que je n'ai pas de temps à perdre avec ce mode de pensée. Cela a été dur au début mais à présent tout va de mieux en mieux.»

Brock ajouta à cela : «Belinda, les choses continueront à aller de mieux en mieux si vous continuez à travailler dans le bon sens. Les personnes qui font de la recherche disent qu'il faut trois semaines de travail intense pour réussir à enraciner une nouvelle attitude dans notre psychisme. Donc, continuez et vous arriverez au point où votre divorce ne vous dérangera presque plus si on compare votre situation présente à celle qui existait il y a trois semaines.»

Brock retourna ensuite vers l'estrade, fit un arrêt et dit : «J'aimerais remercier tous ceux qui ont bien voulu nous faire part de leur expérience. Grâce à eux, vous avez tous pu connaître la puissance du paradoxe de la vie facile en ce qui concerne l'abandon de l'état de victime et la prise en charge de vos responsabilités. Il ne s'agit pas de savoir si oui ou non vous aurez des problèmes majeurs, des mauvaises passes, ou si vous aurez à souffrir de discrimination ou d'injustice; il s'agit de savoir ce que vous allez faire pour les surmonter. Cela peut s'avérer difficile et désagréable au début, mais cela pourra vous rendre la vie beaucoup plus facile à long terme.

«Assumer la responsabilité de vos problèmes fera une différence énorme dans la façon dont vous atteindrez la réussite, la satisfaction et dont vous accomplirez vos projets. À tous les obstinés qui ne comprennent pas encore, je ne crains pas de dire que la vie n'est pas compliquée du tout, déclara Brock avec un grand sourire. Si la vie ne vous apporte que des embêtements, c'est que vous la vivez mal. Vous faites trop ce qui est facile et rassurant. Commencez par faire ce qui est difficile et désagréable, et la vie ne sera plus ce fardeau qui vous écrase.

«Maintenant, passons à la façon dont le paradoxe de la vie facile se rattache à l'utilisation de la créativité et à la façon de capitaliser sur les chances qui existent partout autour de vous.»

*Efforcez-vous de rechercher l'originalité
dans vos pensées et dans vos actions.
Soyez le premier;
soyez différent.
Et osez.
C'est seulement à ce moment-là
que vous aurez un impact notable sur le monde.
Vous pourrez même devenir quelqu'un d'important.*

Pendant l'heure et demie qui suivit, Brock passa en revue les différents aspects de la créativité et la manière dont les stagiaires devaient appliquer le paradoxe de la vie facile pour devenir plus créatifs.

Il commença à citer quelques importants principes sur la créativité qui sont difficiles et désagréables à suivre, mais qui contribuent à la réussite personnelle à long terme. Brock les fit projeter sur l'écran pour que les stagiaires puissent les prendre en note.

• Choisissez d'être créatif.

• Recherchez des solutions variées.

• Faites quelque chose de vos idées.

• Ne fermez pas les yeux sur les chances qui vous sont offertes.

• N'opposez pas de résistance à l'échec.

• Osez être différent.

• Soyez persévérant et payez votre dû.

Brock essaya ensuite de convaincre toutes les personnes présentes qu'elles avaient des pouvoirs créatifs qu'elles n'utilisaient pas pleinement. Il déclara que la créativité est un bien qui vaut un million de dollars, mais que la plupart des gens ne sont pas conscients de posséder. Comme ils ne savent pas ce qu'ils possèdent, ils en ignorent la vraie valeur et la manière d'utiliser correctement cette qualité. Brock assura à l'assistance qu'en utilisant différentes techniques, tous et toutes pouvaient apprendre à être beaucoup plus créatifs qu'ils ne l'étaient à l'heure actuelle.

Brent, le jeune barbu aux cheveux longs qui avait demandé à Brock lors de la première conférence pourquoi on devait remettre en question ses idées préconçues, ne fut pas long à s'interroger sur la créativité.

«Comment pouvez-vous dire que l'on peut *apprendre* à être créatif? demanda Brent. Soit vous êtes né avec cette qualité, soit vous en êtes dénué, un point c'est tout.»

– Brent, répondit Brock en se rapprochant du bord de l'estrade pour se rapprocher de son interlocuteur. Il est évident que vous avez des idées préconçues à propos de bien des choses, y compris la créativité. Comme je l'ai déclaré plus tôt, les idées préconçues sont des maladies. Débarrassez-vous-en, sinon ce sont elles qui régiront votre vie.

«Abandonnez toute notion romantique que vous pourriez entretenir à propos de la créativité. La créativité n'est pas un don que Dieu dispense à certains artistes ou à certains musiciens. Elle ne dépend pas d'une certaine quantité de souffrance et n'est pas associée à un brin de folie. On pense souvent, à tort, que la créativité est liée à un talent spécial, à des connaissances ou des capacités. En fait, aucun de ces facteurs ne s'avère nécessaire pour obtenir une créativité qui garantisse le succès. Si vous observez bien les personnes qui créent vraiment, vous constaterez qu'elles ne font qu'être créatrices, point final.

«Les personnes qui entreprennent des recherches sur la créativité ont découvert que tous les êtres humains naissent avec un potentiel de créativité, mais que la plupart d'entre eux apprennent à en faire abstraction. Ils ont également découvert que plus on avance en âge, moins on est créateur. Un adulte de quarante-cinq ans ne possède que cinq pour cent de la créativité d'un enfant de six ans. Pourtant, les adultes n'ont pas besoin d'être comme cela. Pour que les adultes redécouvrent leur créativité, ils ont seulement besoin de temps et d'efforts.

«Mark Twain a dit : "Il y a des milliers de génies qui vivent et meurent sans avoir été découverts, que ce soit par eux ou par les autres." Ces génies restent inconnus parce qu'ils sont trop paresseux pour utiliser leurs talents. Chez toute personne qui n'est pas créatrice, il y a une personne créatrice qui demande à émerger pour faire quelque chose de spécial sur cette terre. En réalité, il est plus difficile à long terme de réprimer sa créativité que de l'utiliser, mais beaucoup d'entre nous utiliseront plus d'une façon de la réprimer. La raison en est qu'à court terme il est plus facile et confortable de supprimer sa créativité que de l'utiliser. Il n'y a aucun doute là-dessus : la façon la plus facile de supprimer notre créativité est de dire que nous n'en possédons pas.»

Ensuite, Brock expliqua quelles étaient les barrières qui empêchaient les individus d'être créatifs. Ces barrières comprenaient la pression sociale, les institutions d'enseignement qui enseignaient qu'il n'y avait qu'une seule bonne réponse à une question, les sociétés obtuses qui ne supportaient pas d'avoir des employés faisant preuve de créativité et les barrières que les gens s'imposaient eux-mêmes, comme la peur de prendre des risques. Il insista sur le fait que ces barrières ne font pas seulement qu'entraver la créativité de ces personnes mais qu'en fin de compte, elles finissent par étouffer leurs objectifs, leurs espoirs, leurs désirs, leurs rêves et leur richesse.

Ensuite, Brock utilisa les exercices verbaux et visuels pour montrer aux stagiaires comment ils supprimaient leur créativité. L'exercice qui eut le plus grand impact sur Sheldon en fut un qui démontrait l'importance de toujours rechercher plusieurs solutions.

Après avoir demandé à Sheldon de projeter une diapositive sur l'écran, Brock expliqua l'exercice.

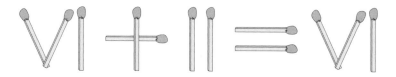

«Prenez pour acquis que l'équation que vous voyez sur l'écran est faite avec des allumettes. Chaque ligne est représentée par une allumette, y compris la ligne verticale et la ligne horizontale du signe plus. Les deux lignes horizontales du signe " = " sont également faites d'allumettes. Comme vous pouvez le constater, l'équation utilise des chiffres romains. La représentation de cette équation est fausse. En d'autres mots, six plus deux ne font pas six. Je voudrais que vous utilisiez votre créativité pour la corriger en ne bougeant *qu'une seule* allumette.»

Brock répéta ensuite le pourquoi et le comment de cet exercice pour que les stagiaires comprennent bien ce qu'ils devaient faire.

Environ cinq minutes plus tard, Brock remarqua qu'un certain nombre de stagiaires avaient fini de travailler sur leur exercice. Alors, il demanda : «Bon, quelqu'un a-t-il fini?»

Plus de la moitié des stagiaires levèrent la main. Sheldon avait également levé la sienne. Il était d'autant plus content de lui que plus du tiers des participants n'avait pas trouvé de solution.

«Maintenant, parmi ceux qui ont la main levée, quels sont les champions qui ont trouvé plus d'une solution?» demanda Brock avec un semblant de sourire sur le visage.

Pas une seule main ne resta en l'air.

«Il est intéressant de constater que pas un seul d'entre vous n'est parvenu à plus d'une solution, annonça Brock. Retournons aux sept principes de la créativité qui sont difficiles et désagréables à observer, mais qui sont nécessaires pour obtenir la réussite.»

Avant de continuer, Brock demanda de nouveau à Sheldon de projeter les sept principes de la créativité sur l'écran : «Vous remarquerez bien attentivement le deuxième principe : Cherchez autant de solutions que possible. UNE CHOSE DOIT ÊTRE BIEN CLAIRE DANS VOTRE ESPRIT : IL EXISTE TOUJOURS PLUS D'UNE SOLUTION À TOUT PROBLÈME AUQUEL VOUS DEVREZ FAIRE FACE PENDANT LE VOYAGE QUE REPRÉSENTE VOTRE VIE.»

«Cependant, la grande majorité d'entre nous essayons de résoudre les problèmes financiers, personnels et professionnels exactement de la même manière que nous essayons de résoudre ce problème d'allumettes. Nous trouvons une solution; quelquefois, nous nous forçons vraiment et arrivons à en trouver une deuxième. Et puis, lorsque ces solutions ne donnent pas le succès espéré, nous commençons à rejeter le blâme sur le monde entier. Nous blâmons la société, le gouvernement, nos parents et nos patrons. Nous allons même jusqu'à blâmer la météo ou les aboiements du chien de notre voisin.

«La vérité est que nous devrions nous blâmer nous-mêmes pour avoir pris la voie facile et confortable en ne cherchant qu'une ou deux solutions à nos problèmes. Si nous avions pris la voie difficile et désagréable, nous aurions trouvé un nombre beaucoup plus grand de solutions. Parmi celles-ci, il y en a qui nous auraient permis de régler certains problèmes. Il faut se rappeler que la solution qui marchera, la solution *miracle*, est en général la cinquième et même la dixième, certainement pas la première ni la seconde.

«Prenons donc dix minutes supplémentaires pour voir s'il y en a parmi vous qui arriveront à trouver plus d'une solution à cet exercice. Tiens, j'ai une idée : pour rendre cela plus intéressant, la personne qui trouvera le plus de solutions gagnera comme prix un exemplaire de mon dernier livre qui traite de la créativité.»

Pendant que les stagiaires suivaient les instructions de Brock, Sheldon essaya de son mieux de trouver le maximum de solutions possibles. Il finit par en découvrir deux, qui furent également découvertes par Ting et partagées avec le reste du groupe. Même si Sheldon avait pu trouver un plus grand nombre de solutions, il ne les aurait pas annoncées. Tout d'abord parce qu'il ne savait pas si, en tant qu'assistant de Brock, il avait droit au prix offert, l'exemplaire du livre *Pensez grand dans un petit monde*. Ensuite, cela aurait paru bizarre de gagner l'exemplaire d'un livre que Brock avait voulu lui donner le jour de leur première rencontre et qu'il avait refusé.

Au bout de dix minutes, Brock demanda si quelqu'un avait réussi à trouver plus de cinq solutions. Personne n'en avait cinq, mais Ting en avait quatre. Brock demanda à Ting de partager ses solutions avec les autres stagiaires.

«Pour ma première solution, dit Ting, j'ai pris l'allumette verticale du chiffre romain de gauche, le six, et je l'ai fait passer de l'autre côté, à la droite du cinq. L'équation se lit alors quatre plus deux égalent six.»

IV + II = VI

«Pour ma deuxième solution, j'ai fait passer l'allumette de droite du chiffre romain deux du côté droit de l'équation, pour que celle-ci s'énonce six plus un égalent sept.»

VI + I = VII

«Bien sûr, pour une autre solution, je peux bouger l'allumette de gauche du chiffre romain deux vers le côté droit de l'équation pour qu'à nouveau, on puisse lire que six plus un égalent sept.»

Brock l'interrompit à ce moment précis et dit : «C'est très bien, Ting. La plupart des gens ne verraient sans doute pas que ces deux dernières solutions sont bien distinctes. Vous faites vraiment preuve de créativité.»

Ting continua : «Pour ma quatrième solution, j'ai déplacé l'allumette verticale du chiffre romain six du côté gauche de l'équation – le même que pour ma première solution – vers le côté droit de l'équation pour que l'on puisse lire l'équation suivante : cinq plus deux égalent sept.»

«Très bien», dit Brock en se dirigeant vers les stagiaires pour remettre le livre à Ting. Puis, il remonta sur l'estrade et s'adressa à tous : «Je voudrais vous faire remarquer que j'ai trouvé cet exercice dans un livre qui traitait de la créativité et l'on ne trouvait qu'une seule solution. Il est évident que l'auteur n'a pas cherché à aller plus loin après avoir trouvé une solution. Cela n'en fait pas quelqu'un de créatif. Ting nous a déjà montré qu'il y avait quatre solutions à cet exercice. Jusqu'à maintenant, j'ai réussi à produire les quatre mêmes solutions et une supplémentaire qui, elle-même, peut en engendrer trois autres. Cependant, avant de vous les divulguer, j'aimerais donner la chance à d'autres qui auraient une autre solution à nous donner. Quelqu'un a-t-il trouvé une réponse différente de celles données par Ting?

– Moi, dit Belinda, ou du moins je pense que j'en ai une. Si vous enlevez l'allumette verticale du chiffre romain six à gauche et que vous la placez sur le signe " = ", ce dernier devient le signe "différent de" . On peut donc lire cinq plus deux est différent de six.»

«Excellent, Belinda. Voilà précisément la solution à laquelle je me référais et elle engendre trois nouvelles solutions, dit Brock. Bien sûr, vous pouvez déplacer les trois autres allumettes verticales – n'importe laquelle des deux qui forment le chiffre romain deux à la gauche de l'équation et celle du chiffre romain six à la droite de l'équation – pour couvrir le signe égal. Cela nous donnera trois solutions semblables utilisant le signe "différent de". C'est ainsi que nous nous retrouvons avec quatre solutions supplémentaires. Si nous ajoutons ces solutions à celles de Ting, nous nous retrouvons en possession de huit réponses.»

«Quelqu'un aurait-il trouvé une autre solution à cet exercice? Il doit bien y avoir au moins une réponse supplémentaire que je n'ai pas encore entrevue», dit Brock.

Pas une main ne se leva.

«D'accord, dit Brock, vous pouvez voir que nous avons huit solutions à un exercice qui...

– Un instant, l'interrompit Joe. Je pourrais peut-être vous fournir une autre solution, ce qui nous amènerait à neuf, à condition que vous acceptiez celle qui vient de me traverser l'esprit. Mais il se pourrait bien que vous ne l'acceptiez pas...»

– Allez-y, Joe. Vous savez que je ne suis pas difficile», dit Brock en plaisantant.

Joe proposa sa solution : «Pourquoi ne pas prendre l'allumette du dessus dans le signe " = " et en faire bouger seulement la pointe de droite pour qu'elle touche l'allumette du bas de ce même signe égal. Cela ressemble beaucoup, bien que cela ne soit pas exactement cela au signe "plus grand que" que l'on utilise en algèbre. Et voilà! L'équation se lit comme ceci : six plus deux est plus grand que six.»

«Ça, c'est du bon travail, Joe, dit Brock. Bien qu'il faille faire preuve d'un peu d'imagination pour entrevoir le signe "plus grand que", c'est néanmoins excellent. J'accepte volontiers votre proposition, et tout le monde devrait en faire autant. C'est exactement ce que j'ai voulu vous démontrer quand j'ai parlé d'utiliser votre imagination en matière de créativité.»

Brock s'arrêta et reprit : «Tout le monde, ici, est sans aucun doute d'accord pour dire que Joe a trouvé la solution gagnante, tout simplement parce que sa solution fait preuve d'un peu plus d'imagination que toutes les autres. Comme je l'ai déjà dit, la solution à tout casser n'est normalement pas la première ni la seconde. Dans notre cas, cela a été la neuvième.

«En utilisant cet exercice comme analogie, nous pouvons voir que trouver une solution vraiment originale à un problème demande que l'on y passe beaucoup plus de temps que cela n'en prend pour trouver une ou deux solutions. Ce n'est qu'en faisant ce qui est difficile et désagréable en matière de pensée créatrice que nous pouvons arriver à trouver des solutions à tout casser à nos problèmes. Cela est vrai pour tous les problèmes, qu'ils soient d'ordre mathématique, financier, professionnel ou personnel. Donc, la prochaine fois que vous aurez un problème en suspens sans solution valable, prenez le temps et faites l'effort nécessaire pour rechercher des solutions additionnelles. Vous ne ferez pas que créer des solutions possibles. L'une d'entre elles pourrait fort bien se révéler *la solution*. La chose importante dont il faut se souvenir, c'est qu'il y a toujours de nouvelles façons de résoudre un problème, indépendamment du nombre de solutions que vous avez trouvées.»

Vingt minutes plus tard, après avoir fait faire d'autres exercices aux stagiaires pour leur montrer comment ils pouvaient utiliser leur créativité pour trouver plus de solutions à leurs problèmes, Brock demanda à Sheldon de projeter une autre diapositive où l'on montrait un verre qui, selon que les interprétations de chacun étaient pessimistes ou optimistes, pouvait être à moitié vide pour les uns et à moitié plein pour les autres. Paradoxalement, ce fut la petite Korina – une enfant handicapée – qui décrivit l'image projetée comme étant celle d'un verre à moitié plein...

Les autres comprendront pourquoi vous n'essayez pas de faire
ce que vous croyez être impossible à réaliser.
Si vous pensez que l'on ne peut pas faire quelque chose,
ayez au moins la courtoisie de vous enlever du chemin de la
personne qui, elle, est en train de la réaliser.

Quelques minutes plus tard, Brock dit : «Il existe des chances égales pour tous dans cette salle. Tout le monde peut devenir quelqu'un qui apportera sa contribution au monde et s'enrichira en le faisant – si, du moins, c'est le but visé.

Ursula, qui paraissait un peu contrariée par les commentaires de Brock, leva la main et déclara : «Je ne crois pas un mot de tout cela. Il n'y a pas de grandes occasions en ce bas monde qui permettent aux gens ordinaires de s'enrichir. C'est pour cela qu'il y a autant de pauvres.

– C'est totalement absurde, affirma Brock. Ursula, si un jour vous saisissez la réalité, vous réaliserez qu'il y a énormément d'occasions dans notre monde occidental. Mais ne pensez pas que je vous considère comme étant la seule personne dans cette salle à ne pas s'en rendre compte.

«Le mythe le plus connu à propos de la pauvreté – et qui fait que les gens restent pauvres – c'est que toutes les bonnes occasions de gagner de l'argent ont été exploitées. La plupart des gens avaient cette idée préconçue il y a cinquante ans, une grande majorité était d'accord pour dire que c'était vrai il y a cinq ans, et presque tout le monde s'y accroche encore de nos jours. Je peux vous affirmer que ce mythe connaîtra le même succès à l'avenir. Il va sans dire que si vous continuez à croire à ce mythe, vous passerez à coup sûr à côté de belles occasions et ce, jusqu'à la fin de vos jours.»

Stimulez la curiosité pour ce qui est singulier
sans vous soucier de son peu de popularité.
C'est dans le singulier que les occasions
aiment se dissimuler.

«Où sont donc toutes ces occasions? demanda Ursula.

– La réponse est partout, y compris dans votre propre jardin. Chaque commodité que nous avons – celles que nous voyons et touchons – a déjà été une idée intangible que quelqu'un a décidé de concrétiser. Il existe aujourd'hui un nombre illimité de possibilités à développer, de nouveaux produits comme de nouveaux services. On crée constamment de nouvelles carrières et de nouvelles entreprises. La croissance rapide d'Internet a engendré de nouvelles sortes d'entreprises auxquelles personne n'avait pensé il y a seulement quelques années. De nouveaux produits, de nouveaux services et de nouvelles technologies émergent chaque jour, seulement parce que quelqu'un fait preuve d'assez de créativité ou de motivation pour tirer profit de ces possibilités.»

Comme la plupart des gens, vous avez sans aucun doute
eu plus d'une idée exceptionnelle sur la façon
dont il faudrait changer le monde
pour en faire un meilleur endroit où vivre.
Voici la meilleure manière d'ôter toute sa valeur
à la meilleure des idées :
n'en faites surtout rien.

«S'il en est ainsi, demanda Ursula, pourquoi n'y a-t-il pas plus de personnes qui s'enrichissent en profitant de ces occasions?

– Ursula, je parie qu'il y a plusieurs personnes dans cette salle qui connaissent personnellement un ou plusieurs individus qui se sont enrichis récemment et cela, dans un laps de temps très court, mais qui n'avaient pas plus de talent ou n'étaient pas plus avantagés que n'importe qui d'autre. Ils ont repéré une bonne occasion et ont décidé d'en profiter.»

Avant même que Brock ait eu le temps de demander si l'un des stagiaires avait soit un ami, soit une connaissance qui s'était enrichi récemment, Ting l'interrompit : «Brock, je connais personnellement trois personnes qui se sont enrichies au cours des dernières années. Mon exemple préféré s'appelle Barry Ansetski. Son frère a un Ph.D. en géologie et vit de l'aide sociale. Barry est l'exemple typique de celui qui a lâché l'université et qui est devenu millionnaire. Je suis allé à l'école avec Barry et personne n'aurait pu croire alors qu'il deviendrait autre chose qu'un petit fonctionnaire.

– Comment est-il devenu millionnaire? demanda un des stagiaires.

– La société asiatique qui vendait des produits informatiques et pour laquelle il travaillait à Vancouver voulait fermer la succursale de cette ville parce qu'à son avis, le marché n'était pas assez grand. Barry leur demanda alors s'il pouvait devenir leur représentant et démarra sa petite affaire pour vendre et assurer le service des produits de cette maison.»

Ting continua : «Je vous ferai remarquer que Barry n'avait été que technicien dans cette boîte et qu'il n'avait aucune expérience dans les ventes. Barry fit le tour des clients possibles en blue jeans et en bottes de cow-boy. Il ne fit pas que leur montrer l'équipement qu'il vendait : il leur parla aussi du bon service qu'il pouvait assurer s'ils achetaient ses produits. Les acheteurs des sociétés aimaient son approche discrète, sa disponibilité à assurer le service après-vente et son honnêteté. Cinq ans plus tard, il avait dix employés et vendait plus d'équipement que pratiquement tous ses concurrents. C'est à ce moment-là que la société asiatique décida de lui donner cinq millions de dollars pour sa petite entreprise afin de contrôler elle-même le marché de Vancouver. Les patrons le laissèrent travailler pour eux avec le titre de consultant, et lui donnèrent un salaire de 150 000 $ par an.»

Quand Ting eut fini de parler, Brock dit : «Merci beaucoup pour cet excellent exemple, Ting. Il ne fait aucun doute que votre ami Barry est millionnaire aujourd'hui parce qu'il a su remarquer une bonne occasion. Et ensuite, contrairement à la majorité des gens qui entrevoient une bonne occasion, Barry a décidé de la mener jusqu'au bout. Il a risqué son temps, son argent et sa réputation pour voir s'il pouvait réussir en vendant des ordinateurs que la société mère n'avait pas réussi à vendre.

«Cela nous ramène à un aspect de la réalité dont je parlais : les occasions entrent et sortent de la vie des gens sans qu'on les exploite, ou même pire, sans qu'on les remarque. Malheureusement, la grande majorité des Nord-Américains ne profiteront pas d'une bonne occasion, même si on la leur montre du doigt, car ils sont de nos jours bien trop occupés à choisir l'émission sportive qu'il regarderont le soir à la télévision ou à penser au genre de toilette qu'ils devront adopter pour leur sortie du samedi soir. Avec toutes ces distractions à leur disposition, la plupart des gens trouvent qu'il est plus facile et plus rassurant de se plaindre du fait que de nos jours il n'existe plus de bonnes occasions pour le commun des mortels.

«Les gens tournent le dos à une possibilité de s'enrichir pour une seule raison, continua Brock. C'est Thomas Edison qui a dit que les personnes ratent les bonnes occasions parce que cela demande du travail. Retournons au paradoxe de la vie facile. Il est facile et rassurant de dire que les bonnes occasions n'existent plus. De cette façon-là, nous n'avons pas à faire l'effort de les chercher. Bien sûr, ce n'est pas tout de les chercher : il faut les développer. Les rechercher ne représente que la première étape. La partie plus difficile et la plus pénible, c'est le temps, l'effort, le dévouement et tous les autres sacrifices nécessaires à leur aboutissement.»

«Notre monde occidental continuera d'offrir de bonnes occasions aux individus qui voudront risquer ce qu'il faut pour vendre des idées, des conseils, des produits, de l'énergie, de l'enthousiasme et des services à ceux qui en ont besoin. Il existe un nombre illimité de problèmes dans notre monde à l'heure actuelle, qui présentent d'excellentes occasions pour qui saura les résoudre. Voici quelques exemples des besoins que l'on retrouve et qui appellent des solutions : des logements meilleur marché, un chauffage plus efficace, des aliments plus nutritifs, des voitures qui polluent moins, de meilleures crèches, de l'aide familiale, de nouvelles techniques pour soulager le stress et des vacances moins chères. Il existe des centaines de milliers d'individus qui ont démarré des entreprises à temps partiel ou à temps plein en résolvant certains de ces problèmes. Si vous voulez faire partie de ce groupe, vous devez être capable de repérer les bonnes occasions et ensuite, de faire quelque chose pour qu'elles aboutissent.»

Tout de suite, avant d'annoncer la pause-café, Brock conclut cette partie de sa conférence sur la créativité par ces mots prononcés sur un ton passionné :

«CECI S'APPLIQUE À CHACUN D'ENTRE VOUS. LA QUESTION N'EST PAS DE SAVOIR SI LES BONNES OCCASIONS VIENDRONT FRAPPER À

VOTRE PORTE. SOYEZ CERTAINS QUE OUI. LA GRANDE QUESTION EST DE SAVOIR SI VOUS SEREZ À LA MAISON LES FOIS OÙ ELLES FRAPPERONT.»

* * *

Une bonne partie de la deuxième moitié de la conférence fut consacrée à la pratique d'autres exercices sur la créativité. Plusieurs de ces exercices et de ces techniques furent utilisés pour montrer aux stagiaires qu'ils pouvaient créer des solutions aux problèmes en réfléchissant de façon différente. Il y eut également cinq autres exercices qui eurent pour but de leur montrer comme il était facile de fermer les yeux sur des solutions évidentes et sur des occasions.

Les trente dernières minutes de la conférence furent consacrées à l'échec et à la façon de payer son tribut pour réussir sa carrière.

Essayez aujourd'hui,
échouez aujourd'hui.
Essayez de nouveau demain et échouez encore.
Et le jour suivant,
et le prochain aussi.
Continuez d'essayer.
Continuez d'échouer.
Continuez d'apprendre.
Essayer, échouer et apprendre.
C'est ça, le succès!

Brock mit l'emphase sur le fait que la créativité et l'échec viennent main dans la main. Peu de temps après avoir lancé le thème de l'échec, le conférencier déclara : «Si vous désirez connaître une grande réussite dans notre monde, vous devez en premier être un raté fini.»

Brock s'arrêta brièvement pendant que tout le monde réfléchissait à ce qu'il venait de dire. Puis, il continua : «Ce que je viens de vous dire peut vous troubler au point de vous faire penser que tout cela est absurde. Néanmoins, je vais le répéter; comme cela vous serez encore troublés et moi, j'aurai encore l'air stupide.»

Il y eut quelques rires dans le fond de la salle.

«UNE FOIS DE PLUS, dit Brock, en élevant fortement la voix pour provoquer plus d'effet. SI VOUS VOULEZ CONNAÎTRE UNE GRANDE RÉUSSITE DANS NOTRE MONDE, VOUS DEVEZ EN PREMIER ÊTRE UN RATÉ FINI.»

Brock s'arrêta un instant avant de continuer d'une voix plus calme.

«Quelqu'un peut-il expliquer cette déclaration, en apparence stupide, qui semble perturber quelques personnes dans cette salle?»

Joe, qui paraissait alors beaucoup plus réceptif à la conférence qu'il ne l'avait été au début, fut le premier à lever la main et répondit : «Votre déclaration n'est pas stupide du tout. Chaque personne qui a réussi – y compris Bill Gates – a connu des échecs retentissants, beaucoup plus que l'individu moyen qui n'a jamais rien accompli de notable.

– C'est exactement cela. Merci Joe, dit Brock en détournant son regard de Joe pour le diriger vers la salle au complet. Ce que Joe vient de vous dire, c'est que le chemin de la réussite ressemble un peu à ceci.»

Brock fit un signal à Sheldon pour que celui-ci projette l'image suivante. Brock montra l'écran où l'on pouvait lire :

Le chemin de la réussite ressemble un peu à ceci.

Échec. Échec. Échec. Échec. Échec. **RÉUSSITE.**
Échec. Échec. Échec. Échec. Échec. Échec. **RÉUSSITE.**
Échec. Échec. Échec. Échec. **RÉUSSITE.**

Brock éleva la voix pour augmenter l'effet produit et continua : «DONC, EN PRENANT POUR ACQUIS QUE LA VOIE DE LA RÉUSSITE RESSEMBLE À CECI, QUEL EST LE MEILLEUR MOYEN DE DOUBLER VOS CHANCES DE RÉUSSITE?»

Et, comme s'ils s'étaient passé le mot, un certain nombre de personnes – Korina y compris – crièrent à l'unisson :

«DOUBLEZ VOTRE QUANTITÉ D'ÉCHECS!

– Tout à fait! Vous voyez comme la vie est facile, n'est-ce pas? dit Brock en souriant. Vous commencez vraiment à voir ce que signifie le paradoxe de la vie facile. Nous sommes sur la bonne voie maintenant.

Continuez comme cela et bientôt, je verrai votre nom dans le *Who's Who* des personnes qui ont atteint la célébrité.

*Un échec peut vous mener sur la route
de la réussite.
Cent échecs vous y conduisent à coup sûr.*

«Cela peut paraître difficile à croire, mais plus vous ferez de gaffes, meilleures seront vos chances de réussir, poursuivit Brock. Lorsque vous serez dans votre ascension vers une carrière toujours meilleure, n'oubliez pas de vous féliciter pour la plus petite de vos réussites et le plus gros de vos échecs. Au Texas, quand on perd, on perd gros et on s'en vante. Se vanter de ses échecs signifie que l'on en prend la responsabilité et que l'on en tire une leçon.

«S'il est nécessaire de connaître un plus grand nombre d'échecs pour réussir, pourquoi n'y a-t-il pas plus de personnes qui doivent affronter des échecs? demanda Brock.

– Les individus ont peur des échecs, répondit Patrick.

– Je ne suis pas tout à fait d'accord avec vous, Patrick. Peut-on dire que les individus ont vraiment peur de l'échec en tant que tel? demanda Brock.

– En vérité, ce n'est pas de l'échec qu'ils ont peur, mais du qu'en-dira-t-on, ajouta Patrick.

– Précisément, répondit Brock. La plupart d'entre nous croyons qu'il existe une hiérarchie : tout d'abord, les génies, en haut de l'échelle, puis les entrepreneurs qui connaissent la réussite ainsi que les chefs d'entreprise; un peu plus bas, on trouve les personnes qui ne connaissent qu'une réussite moyenne et enfin, à la base, les nuls. Il est certain que nous ne voulons pas faire partie du groupe des nuls. Nous évitons de prendre des risques qui pourraient nous faire essuyer des échecs, afin de ne pas paraître sous un jour défavorable aux yeux des autres personnes. Malheureusement, si nous ne prenons pas de risques, nous ne deviendrons jamais un grand chef d'entreprise ni un entrepreneur important. Il va sans dire que nous ne serons jamais des génies. Et zut! Nous ne connaîtrons même jamais la réussite, aussi modeste soit-elle.

«Tout d'abord, examinons ce que nous devons faire pour devenir un génie. Il ne fait aucun doute qu'il y en a parmi vous qui pensent que l'on naît génie. Cependant, pour paraphraser l'auteur féministe et existentialiste Simone de Beauvoir, qui disait: "On ne nait pas femme, on le devient", je n'ai pas peur de dire : "On ne naît pas un génie, on le devient".

«Thomas Edison a été considéré comme étant l'un des plus grands génies de tous les temps. Il détenait plus de 1 000 brevets recensés à son nom pour ses inventions. Une de ses inventions la plus connue est certainement l'ampoule électrique. On raconte qu'il a mené plus de 500 expériences pour inventer la première ampoule. Son assistant lui demandait : "Pourquoi vous obstinez-vous dans cette folie? Vous avez essayé plus de 500 fois et vous avez essuyé plus de 500 échecs." Edison répondit sans hésiter : "Je n'ai pas connu plus de 500 échecs. Maintenant, je connais plus de 500 manières différentes à éviter si l'on veut fabriquer une ampoule électrique".

(Rires dans la salle.)

«La ténacité d'Edison finit par avoir raison du problème et il arriva à fabriquer une ampoule qui fonctionnait. Cette invention-là suffit à le faire voir sous les traits d'un génie. La morale de cette histoire, lorsque nous examinons les génies manifestes qui existent dans le monde, c'est que le génie n'est ni plus ni moins que de la ténacité et de la patience déguisées sous une autre forme. Un génie est une personne qui fait preuve de plus de ténacité que vous, qui êtes en train de suivre un chemin difficile et pénible, parsemé d'échecs.

«Maintenant, examinons pourquoi il existe des chefs d'entreprise et des entrepreneurs qui réussissent. Des enquêteurs de la Caroline du Nord ont entrepris une étude pour savoir s'il existait une caractéristique ou un trait commun – c'est-à-dire quelque chose qui se démarque du reste des autres caractéristiques – qui contribuerait à la réussite de ces grands patrons. Que pensez-vous qu'ils aient découvert? Quelqu'un veut-il essayer de répondre?»

Patrick leva la main en tout premier et dit : «À vous écouter parler, j'ai peut-être tort, mais ma première idée me dit que c'est leurs capacités de gestionnaires.»

Puis, Christine, une femme qui était assise à la première rangée, fit la remarque suivante : «Cela est sûrement dû à leur aptitude à communiquer. Vous ne pouvez pas être un PDG important si vous ne possédez pas le sens de la communication.»

Après que deux autres personnes aient essayé de mettre le doigt sur la caractéristique la plus importante qu'avaient en commun toutes les personnes qui réussissaient, Brock poursuivit :

«Ce que les enquêteurs ont trouvé comme étant la caractéristique commune à toutes ces personnes, celle qui dépassait d'autres caractéristiques très importantes comme la bonne gestion, les aptitudes en communication et le sens du leadership, c'est leur capacité à surmonter les échecs.

«Les personnes qui réussissent savent qu'elles doivent surmonter un grand nombre d'échecs pour continuer à réussir. Cela revient à dire qu'elles doivent très souvent passer pour des idiots. Elles réalisent aussi qu'il existe un échelon plus bas dans la hiérarchie qui est pire que de passer pour des idiots : c'est *d'avoir peur* de passer pour des idiots!

«Bien sûr, Patrick nous a expliqué que les personnes qui ont peur d'être des idiots ont en vérité peur de ce que les autres pensent d'elles. Si vous refusez de prendre des risques et de vivre des échecs parce que vous avez peur de ce que les autres penseront de vous, j'ai quelques nouvelles intéressantes pour vous : une étude qui traitait de la façon de penser des gens a démontré que 80 pour cent de ces personnes avaient des pensées négatives. Alors, devinez quoi? Vous feriez aussi bien de risquer le tout pour le tout. Quelle différence cela fera-t-il? De toute façon, la plupart des gens auront des opinions négatives vis-à-vis de ce que vous faites, quoi que vous fassiez.»

(Rires.)

Brock s'arrêta pour prêter attention à une femme qui était au fond de la salle et qui avait levé la main.

Tristania, une jeune femme au début de la vingtaine, se leva et prit la parole : «En tant qu'être humain, nous voulons tous l'amour et l'affection des autres. Aussi, nous préoccupons-nous de ce que les autres pensent de nous. Il est donc bien naturel que nous ne voulions pas passer pour des idiots.

– Il est certain qu'en tant qu'êtres humains, nous désirons tous l'amour et l'affection des autres, répondit Brock, mais le problème, c'est que nous voulons être aimés par presque toutes les personnes que nous rencontrons. Herbert B. Swope nous met en garde contre cette folie lorsqu'il dit : "Je ne peux pas vous donner la formule magique pour atteindre le succès, mais je peux vous donner celle de l'échec, qui est d'essayer de faire plaisir à tout le monde".

«Chassez de votre esprit l'envie de faire plaisir à tout le monde. Chaque personne – j'ai bien dit *chaque* personne – est le pauvre type de quelqu'un d'autre. Cela s'applique également à moi, spécialement après l'incident de la première conférence», dit Brock en plaisantant et en regardant Joe avec un sourire malicieux.

Il y eut quelques rires étouffés dans la salle et il poursuivit.

«Le désir d'être populaire représente, en fait, un obstacle à la réussite personnelle et au bien-être. Vivre en essayant de plaire à tout le monde vous fera gaspiller beaucoup d'argent, de temps et d'énergie que vous pourriez utiliser à meilleur escient. Vous ne plairez qu'à quelques personnes, superficielles par surcroît, mais vous ne ferez malheureusement pas plaisir à beaucoup de gens qui en valent vraiment la peine, et vous ne vous ferez pas plaisir non plus.»

À ce moment précis, Brock éleva la voix pour que ses paroles aient une portée plus grande.

«JE VAIS LE RÉPÉTER : PASSER VOTRE VIE À ESSAYER DE FAIRE BONNE IMPRESSION SUR LES AUTRES EST UN GASPILLAGE D'ARGENT, DE TEMPS ET D'ÉNERGIE. SI VOUS PASSEZ VOTRE VIE À TOUT FAIRE POUR NE PAS AVOIR L'AIR IDIOT – SANS Y RÉUSSIR VRAIMENT –, ARRÊTEZ DONC TOUT DE SUITE. AU CAS OÙ VOUS NE L'AURIEZ PAS REMARQUÉ, LA MEILLEURE FAÇON DE FAIRE UNE BONNE IMPRESSION SUR LES AUTRES, C'EST DE NE PAS ESSAYER DE LEUR FAIRE BONNE IMPRESSION.

«Retournons aux sept principes de la créativité qui sont difficiles et désagréables à suivre, mais qui peuvent nous apporter d'excellents résultats. Faites bien attention au sixième principe : *Osez être différent!* Malheureusement, la plupart d'entre nous faisons exactement le contraire. Nous passons notre vie à essayer d'être reconnus et respectés par les autres en pensant comme eux et en nous conformant à ce que tout le monde fait. Au mieux, cela ne nous donnera que des résultats incertains.

«Si vous désirez accroître vos chances de vous attirer le respect et la reconnaissance des autres, regardez Pablo Picasso, Les Beatles, Madonna, Oprah, Margaret Thatcher et Martin Luther King. Ils ont tous apporté quelque chose d'extraordinaire à notre monde. En même temps, ils ont tous reçu énormément d'affection, de respect et de reconnaissance de la part de centaines de millions de personnes. La question que je vais vous poser est celle-ci : ces personnes remarquables ont-elles vécu de la même manière que les autres personnes de leur entourage? Ont-elles fait les même choses que les autres? Se sont-elles préoccupées de ce que les autres pensaient d'elles?»

On entendit un grand nombre de «non» et de «certainement pas» qui jaillirent de la salle en réponse à la question. Brock continua.

«Bien sûr que non. En y faisant plus attention, vous verrez que les personnes que nous admirons le plus sur cette terre font ce qu'elles ont à faire sans se préoccuper de ce que les autres disent et pensent d'elles. Ces mêmes personnes, que beaucoup vénèrent et encensent, sont également méprisées par d'autres. Cependant, même les personnes qui ne les aiment pas ne peuvent s'empêcher de les respecter et de les admirer.

«Nous avons ici une leçon paradoxale très importante : si vous voulez être admiré et respecté, vous devez être déjà haut placé dans la hiérarchie pour pouvoir vous moquer de ce que les gens disent et pensent de vous. Il en va de votre intérêt de prendre des risques plutôt que de vous laisser entraver par tout ce qui empêche les gens d'atteindre le succès.

«CE QU'IL FAUT RETENIR EST BIEN SIMPLE : SI VOUS DÉSIREZ QUE VOTRE VIE ET, PAR EXTENSION, CELLE DES AUTRES DEVIENNENT VRAIMENT DIFFÉRENTES, VOUS NE POUVEZ RENTRER DANS LE MÊME MOULE QUE LA MULTITUDE. VOUS DEVEZ AVOIR LA VOLONTÉ DE PRENDRE DES RISQUES, D'ÊTRE VOUS-MÊME DIFFÉRENT DE LA MASSE, DE POSER UN DÉFI AU STATU QUO ET DE FROISSER QUELQUES PLUMES AU PASSAGE. C'EST SEULEMENT À CE MOMENT-LÀ QUE VOUS RENDREZ CE MONDE PLUS INTÉRESSANT ET PLUS AGRÉABLE.»

Brock raconta une histoire pour présenter son dernier principe sur la créativité.

«Deux hommes qui ne se connaissaient pas étaient en grande conversation dans un bar. Comme c'est souvent le cas dans ce genre de situation, ils se racontaient l'un l'autre ce qu'ils faisaient dans la vie.

«Le premier dit : "J'ai toujours voulu travailler dans un cirque. Finalement, au bout de deux ans de tentatives, j'ai réussi à me faire engager par le cirque Bailey. J'adore mon travail en général. Pourtant, il est très exigeant. Je travaille quatorze heures par jour et ne reçois un salaire que pour huit. Mon salaire horaire est seulement de sept dollars l'heure – le minimum vital. Je dois laver les camions, balayer le plancher, m'occuper des ordures et nettoyer les cages des éléphants. L'un des patrons n'arrête pas de me dire qu'il va me trouver quelque chose de mieux à faire dans le cirque mais, en général, il me crie dessus parce qu'il pense que je devrais travailler plus fort."

«L'autre homme répondit : "Je ne supporterais jamais cela. Pourquoi ne venez-vous pas travailler avec moi? C'est un travail syndiqué, donc ce n'est pas trop dur. Je suis très bien traité, le salaire de départ est de dix-huit dollars l'heure et le travail supplémentaire est payé en double tarif – tout cela pour creuser des fossés!"

«Sans aucune hésitation, l'employé du cirque répondit : " Quoi, creuser des fossés? Abandonner le monde du spectacle pour cela? Pas question!"»

On entendit des rires dans la salle. Brock put enfin continuer : «La morale de cette histoire est que vous devez payer votre tribut pour faire la carrière qui vous attire vraiment – y compris dans le domaine du spectacle. La réalité vous jouera un vilain tour si vous croyez que tout sera facile…»

Un stagiaire leva la main et interrompit Brock.

«Ne devrions-nous pas choisir une vocation que nous allons vraiment aimer? demanda Kirsten. De cette façon, nous ne serions pas obligés de supporter les difficultés et les tâches que nous n'aimons pas.

– Mais certainement. Choisissez la carrière la plus satisfaisante que vous puissiez trouver plutôt que celle qui vous assurera le meilleur salaire, répondit Brock. Cela vous permettra, dans la mesure du possible, d'accomplir votre tâche avec plaisir dans le moment présent. Vous saurez avec certitude que vous êtes en train de vivre votre rêve et de trouver votre raison de vivre lorsque vous aurez appris à surmonter – et même à *apprécier* – un travail difficile, des responsabilités, des tâches pénibles, et que vous serez capable d'assumer toutes les autres contraintes qui vont de pair avec cette carrière.

«Quoi que vous choisissiez comme occupation, vous pouvez être persuadés qu'il y aura des périodes éprouvantes avant que vous n'atteigniez une réussite quantifiable. Lorsque l'on poursuit ses rêves de carrière, on s'aperçoit – tout comme je l'ai fait – que la vie peut se révéler parfois difficile.

«Avant d'arriver au moment où, enfin, vous vivrez votre rêve bien confortablement, vous devrez peut-être travailler pour un salaire moindre, surmonter des tâches difficiles et subir des conditions de travail pas toujours agréables. Peut-être devrez-vous vous promener dans une décapotable en ruine pendant quelques années avant de pouvoir vous acheter la dernière Mercedes à toit ouvrant. Vous devrez peut-être aussi travailler de plus longues heures que celles que vous faisiez dans votre emploi précédent. Comme le dit le dicton populaire, "la roue tourne".»

«Le problème n'est pas de savoir si vous devrez faire face à des problèmes majeurs, des déprimes, de l'injustice ou même de la discrimination; le problème, c'est de savoir *comment* vous allez surmonter tout cela. Les moments difficiles peuvent nous abattre, mais il est préférable de les envisager comme des événements naturels de la vie.»

Il y aura des jours où rien n'ira bien.
Mais tout ne sera pas perdu,
bien au contraire.
Vous apprendrez plus d'une journée où vous aurez affronté des difficultés que d'une année de satisfaction totale et de confort.

Brock continua : «Le septième principe de la créativité – *Soyez persévérant et payez votre dû* – vous aidera à surmonter toutes les difficultés et tous les contretemps que vous aurez à affronter. Comme les autres principes, celui-ci est difficile et pénible à suivre, mais donnera d'excellents résultats. Les gens qui font ce qui est difficile et pénible et qui s'accrochent une journée de plus, un mois de plus ou une année de plus que leur concurrent, effectuent les percées nécessaires à l'aboutissement de leurs projets.

«Vous souvenez-vous de l'homme qui a essayé cinq cents fois d'inventer l'ampoule électrique et qui a fini par y arriver? Ce même homme – Thomas Edison – a dit que les échecs les plus tragiques étaient ceux qu'éprouvaient les personnes qui n'avaient pas réalisé à quel point elles étaient près de découvrir la solution à leur problème lorsqu'elles avaient tout laissé tomber. Environ 95 pour cent des échecs sont le résultat d'abandons trop rapides. Beaucoup de ces personnes sont à deux doigts de réussir lorsqu'elles décident d'abandonner des projets importants et des carrières convoitées depuis longtemps. Au contraire, les personnes tenaces savent qu'elles vont réussir quand elles approchent le point où les autres battent en retraite.

«Cela nous mène à un autre paradoxe qui est associé avec le paradoxe de la vie facile. Payer son dû n'est pas facile, mais c'est plus facile que de ne pas le payer. On ne peut pas modifier le fait que l'on doive persévérer et endurer certaines choses pour savoir que l'on mérite d'avoir une situation gratifiante et stimulante. Vous aurez encore plus de satisfactions en sachant que vous avez surmonté l'adversité et que vous êtes parvenu à réussir dans votre domaine.»

Souvenez-vous que la majorité des personnes abandonnent trop tôt leurs projets, leurs buts et leur rêves.
Qu'auraient accompli Mère Teresa, Nelson Mandela
et le Mahatma Gandhi, s'ils avaient renoncé
aussi facilement que nous le faisons tous?

Ting, à ce moment-là, attira l'attention de Brock et posa une question : «Brock, vous avez insinué que vous aviez mis au moins deux à trois ans avant de réussir en tant que conférencier. Pendant combien de temps doit-on normalement payer son dû avant d'atteindre la réussite comme orateur professionnel?

– Il n'y a pas de règles proprement dite, répondit Brock. Cela s'applique également à toute carrière que vous désirez entreprendre, que ce soit comme propriétaire de restaurant, conseiller en administration, conseiller financier, massothérapeute ou pilote de formule 1. Vous aurez toujours un prix à payer avant de connaître une certaine réussite et cela, sans égards à la profession que vous convoitez.

«Cependant, que ce soit en temps ou en efforts, vous n'aurez pas obligatoirement à acquitter le même prix que tout le monde. Il ne faut pas sous-estimer l'essence, le pouvoir et la valeur de votre esprit créatif. Vous pouvez escalader l'échelle de la réussite marche par marche, ou bien faire preuve de créativité et sauter quelques marches. Il est un fait que les personnes créatives accomplissent en deux ou trois ans ce que les autres accomplissent en dix à quinze ans, ou parfois jamais.

«Lorsque l'on parle d'un prix à payer, il y a deux choses importantes à se rappeler : la première est que lorsque vous débutez dans une nouvelle carrière, votre plus grand capital est votre imagination. Vous devrez avoir dix fois plus de sens créatif que les experts et les personnes expérimentées pour établir votre crédibilité dans le domaine que vous avez choisi. Heureusement, cela ne sera pas trop difficile car les experts et les personnes en place ne font que très rarement preuve de créativité. Elles trouvent qu'il est plus facile et plus rassurant de penser qu'elles connaissent tout. De cette façon, elles n'ont pas besoin de faire d'efforts pour découvrir de nouveaux moyens de faire les choses. Si vous vous efforcez de penser dans des directions nouvelles et différentes, vous gagnerez un grand avantage sur ces experts et sur les personnes en place.

«La deuxième dont il faudra vous souvenir est que si payer le prix peut s'avérer difficile et pas toujours drôle, cela vous rendra la vie plus facile et plus agréable à long terme. Vous remarquerez qu'en débutant une nouvelle carrière, vous vous dépenserez beaucoup plus à élaborer de nouveaux projets qu'à en tirer des bénéfices. Il se peut même que vous investissiez en énergie et en temps de cinq à dix fois plus que vous n'en retirerez en profits et en espèces. Après avoir payé le prix pendant deux à trois ans, vous constaterez que vous serez à niveau. Vous récupérerez alors autant de profit et d'argent que ce que vous aurez investi en temps et en énergie.

«Et puis, un jour, vous recevrez de dix à vingt fois plus que le temps et l'énergie que vous aurez investis. Évidemment, tout le monde se demandera comment il est possible que votre vie soit aussi confortable et facile. Vous n'aurez qu'à leur répondre que c'est parce que vous avez appliqué le paradoxe de la vie facile à tout ce qui vous était cher.»

On parle de chance quand quelqu'un qui est moins favorisé
et qui a moins de talent que nous
accomplit quelque chose de remarquable.

Si vous croyez que ce qui a été accompli de façon aussi
remarquable est exclusivement une question
de chance, vous allez devoir affronter beaucoup de malchance.

Acceptez le fait que ce qui a été accompli de façon aussi
remarquable est avant tout une question de créativité et
il est certain que vous aussi, vous serez favorisé par la chance.

* * *

Pour finir cette deuxième session, Brock remit l'emphase sur l'importance de suivre les sept principes de la créativité afin que les stagiaires ne demeurent pas des sous-performants jusqu'à la fin de leurs jours.

«DEUX PRINCIPES D'IMPORTANCE CAPITALE – L'UN D'ENTRE EUX EST UNIVERSEL ET L'AUTRE FAIT AUTORITÉ – GOUVERNENT VOTRE ACCOMPLISSEMENT PERSONNEL. SELON LE PRINCIPE UNIVERSEL, CHACUN D'ENTRE NOUS POSSÈDE UN POUVOIR CRÉATIF QUI LUI PERMET DE DEVENIR UNE PERSONNE UNIQUE EN SON GENRE. LE PRINCIPE QUI FAIT AUTORITÉ EST QUE LA PRESQUE TOTALITÉ DES GENS REFUSENT D'ACCEPTER QUE LE PRINCIPE UNIVERSEL S'APPLIQUE À EUX.

«La plupart des individus s'empêchent d'utiliser leur pouvoir créatif pour une seule raison : c'est qu'il y a un prix à payer pour fournir l'effort voulu pour être créatif, comme il y a un prix à payer pour tout ce qui a une valeur dans la vie. Mais, plutôt que de penser au prix que vous aurez à payer, pensez à toutes les récompenses que vous obtiendrez par la suite. Celles-ci incluent l'estime de soi, la croissance personnelle, plus d'enthousiasme pour trouver des solutions aux problèmes, une confiance en soi accrue pour affronter de nouveaux défis et de nouvelles perspectives de vie en ce qui concerne le travail et la vie privée.

«Ne perdez jamais de vue la vraie valeur qui fait de vous un individu générant un revenu. Servez-vous de votre créativité à toutes les occasions. Une bonne réflexion créatrice peut représenter un million de dollars supplémentaires dans un avenir immédiat – sans compter la satisfaction d'avoir trouvé quelque chose de nouveau, d'intéressant, dont l'humanité tout entière pourra éventuellement bénéficier.

«Que vous recherchiez une nouvelle idée ou une solution à un problème, ne sous-estimez jamais la puissance de votre créativité. Faites-en bon usage. Faites ce qui est difficile et désagréable plutôt que ce qui est facile et agréable. Réfléchissez. Réfléchissez. Réfléchissez. Et quand vous estimerez avoir suffisamment réfléchi, réfléchissez encore. La réponse fulgurante apparaîtra si vous avez assez de volonté pour la chercher. S'il advenait que vous ne réfléchissiez guère, essayez au moins de réfléchir dans différentes directions. Un seul soupçon de créativité vous propulsera en avant des autres.

«Il existe dans ce monde des obstacles qui peuvent vous empêcher de réaliser une grande partie de vos rêves les plus chers. Vous êtes tous des êtres humains possédant d'incroyables pouvoirs créatifs pour surmonter ces obstacles qui apparaissent dans votre vie. Mises à part les maladies graves et la mort, tous les autres obstacles – problèmes sérieux, dépressions, revers de fortune ou discrimination – doivent être considérés comme des épreuves pour tester votre créativité.

«CHAQUE FOIS QUE VOUS RENCONTREREZ UN OBSTACLE QUI VOUS EMPÊCHERA D'OBTENIR CE QUE VOUS DÉSIREZ DE LA VIE, ESSAYEZ D'ABORD DE SAUTER PAR-DESSUS CE DERNIER. SI CELA RATE, ESSAYEZ DE PASSER EN-DESSOUS; ENSUITE, ESSAYEZ DE PASSER À DROITE, ET PUIS À GAUCHE. ALLEZ CHERCHER DE L'AIDE POUR ESSAYER DE LE FAIRE BOUGER ET DE LE FAIRE SORTIR DU CHEMIN. ENSUITE, ESSAYEZ DE VOLER PAR-DESSUS.

«SI VOUS N'AVEZ TOUJOURS PAS RÉUSSI À LE SURMONTER, TOURNEZ À 180 DEGRÉS ET ALLEZ DANS LA DIRECTION OPPOSÉE EN FAISANT LE TOUR DU MONDE POUR L'AFFRONTER SUR SON AUTRE CÔTÉ. UNE AUTRE SOLUTION SERAIT DE JETER DE L'ACIDE DESSUS ET D'ATTENDRE UNE JOURNÉE POUR VOIR S'IL A ÉTÉ RONGÉ. SI CELA S'AVÈRE NÉCESSAIRE, BRÛLEZ-LE OU ESSAYEZ DE LE FAIRE SAUTER À LA DYNAMITE.»

Brock conclut la session avec un léger sourire :

«ET SI AUCUNE DE CES SOLUTIONS NE FONCTIONNE, UTILISEZ VOTRE IMAGINATION POUR ARRIVER À QUELQUE CHOSE DE VRAIMENT CRÉATIF.»

Beaucoup de nos croyances, ainsi que
notre conduite, sont des absurdités institutionnalisées.
Un grand nombre de personnes croient qu'elles pensent
alors qu'en fait, elles ne font que répéter
les absurdités des autres.
En effet, quiconque pense comme les autres
ne pense pas vraiment.

La session terminée, quelques participants se dirigèrent à l'avant de l'auditorium et demandèrent à Brock s'il existait de bons livres pour leur enseigner à être plus créatifs. Au lieu de leur recommander son propre livre, Brock leur dit que si l'on voulait un ouvrage qui ait comme perspective le monde des affaires et la carrière, son préféré était celui de Roger von Oech, *Ne restez pas assis sur le meilleur de vous-même* [5]. Il avait un bon titre et il était drôle et facile à lire. Si les participants recherchaient un livre avec une approche plus artistique de la créativité, ils devaient se procurer celui de Julia Cameron, *The Artist's Way* [6], qui aiderait même les personnes qui n'avaient pas vraiment un tempérament d'artiste.

Après que tous les participants eurent quitté la salle, Silvina et Korina s'avancèrent pour parler à Brock et à Sheldon.

«Alors, Korina, qu'as-tu pensé de ce que j'ai dit sur la créativité? demanda Brock.

— J'ai beaucoup aimé l'exercice avec les équations et les allumettes pour montrer combien il pouvait y avoir de solutions aux problèmes. Toutes les solutions étaient super. Mais, savez-vous que j'ai pensé à une autre solution, et je ne vous la dirai pas à moins que vous me donniez vingt dollars, dit Korina en blaguant.

---

[5] Traduit de l'américain par Anne Terrier, 163 p., InterÉditions, 1987. *(ISBN : 2-72960-179-1)*

[6] Non encore disponible en français. Du même auteur, sur le même sujet, signalons *La veine d'or*, traduit de l'anglais par Chantal Duchêne-Gonzalez, 524 p., Éditions du Roseau, 1998. *(ISBN : 2-89466-028-6)*

– Tu sais que je ne savais même pas que tu connaissais déjà les chiffres romains, Korina. Tu as beau être en avance, tu n'es qu'en cinquième année...

– Je ne les ai pas encore appris à l'école, répondit Korina. C'est Silvina qui me les a enseignés pendant que nous faisions l'exercice.

– Félicitations, tu apprends vite, s'exclama Brock. Dans ce cas, j'aimerais beaucoup voir ta solution, mais je te donnerai plus que vingt dollars, Korina, parce que j'utiliserai cet exercice dans mon nouveau livre qui traitera du paradoxe de la vie facile. J'aimerais avoir le plus de solutions possible pour les inclure dans ce livre. Il est juste que je te paie cent dollars pour cela.

– Cent dollars, vraiment? demanda Korina, toute joyeuse.

– Bien sûr, chaque nouvelle solution que je pourrai utiliser dans mon livre vaut cent dollars – de la même façon que j'ai offert cinq cents dollars à Sheldon s'il me trouve un bon titre pour le livre.»

Korina regarda Brock en écarquillant les yeux : «Me donnerez-vous cinq cents dollars à moi aussi si je pense à un bon titre pour le livre?

– Certainement, répondit Brock. Pourquoi pas? Mais seulement s'il s'agit du titre que j'utiliserai. Un seul de vous deux peut être le gagnant et remporter les cinq cents dollars.

– Alors, puis-je me mettre sur les rangs et penser à d'autres solutions pour l'exercice des allumettes? demanda Sheldon.

– Bien sûr. Si l'un ou l'une d'entre vous pense à de nouvelles solutions, je lui donnerai cent dollars pour chacune d'entre elles, annonça Brock.

– Maintenant, tu vas me dire quelle est ta nouvelle solution?» demanda Brock en regardant Korina.

Korina sourit et déclara fièrement :

«Si vous prenez l'allumette de droite du chiffre romain six, sur le côté gauche de l'équation et que vous la placez entre les deux allumettes qui font le chiffre romain deux, vous faites un **GROS** chiffre romain un.

Donc, le chiffre romain cinq plus le GROS chiffre romain un à gauche de l'équation égalent le chiffre romain six à droite de l'équation.»

«Magnifique! C'est une solution très intelligente, Korina. Elle est encore meilleure que la solution à tout casser de Joe», remarqua Brock.

Silvina sourit à Brock et dit : «J'ai pensé que tu l'aimerais. Korina m'a vraiment étonnée avec sa découverte.»

Brock regarda ensuite Sheldon : «Vous voyez ce que je voulais dire quand je disais qu'il y avait toujours une autre solution – ça peut même être une autre solution fumante – aux problèmes que l'on rencontre dans la vie? Il n'est pas plus difficile de trouver de nouvelles solutions à nos problèmes que d'en trouver pour résoudre le problème des équations et des allumettes. Il suffit de les chercher.

– Pensez-vous qu'il y ait d'autres solutions à cet exercice? demanda Sheldon. Cent ou deux cents dollars supplémentaires feraient bien mon affaire...

– Sheldon, je ne peux pas vous dire combien de solutions existent à ce problème, répondit Brock. C'est à vous de les chercher si – pour utiliser vos propres termes – vous désirez vous faire cent ou deux cents dollars supplémentaires. Cependant, ne perdez pas de vue le vrai message de cet exercice et sa relation avec ce que j'ai dit sur la créativité. Commencez par faire preuve de créativité dans tous les domaines de votre vie et vous verrez que votre vie ira toujours en s'améliorant.

«Quand on apprend à développer sa créativité, un des grands avantages, c'est qu'on devient plus réceptif aux bonnes occasions de gagner de l'argent. Les cent ou deux cents dollars que vous pouvez gagner en trouvant plus de solutions ne sont rien en comparaison de ce que vous pourrez gagner en utilisant votre créativité pour votre carrière ou pour mener votre affaire. Souvenez-vous que votre meilleur atout est votre créativité. Lorsque vous faites la liste de vos biens sur le plan financier, vous devriez inclure la créativité comme l'un d'entre eux et lui attribuer un montant d'un million de dollars.

– Ne vous en faites pas, répondit Sheldon. Vous n'avez pas parlé en vain. Vous avez vraiment piqué mon intérêt pour la créativité et la façon de l'appliquer au marketing et à la vente. J'ai décidé d'être plus créatif à partir d'aujourd'hui.»

* * *

Ayez les mêmes idées que tout le monde,
et vos idées demeureront étriquées

Ayez vos propres idées,
ayez des idées larges.

Quand Sheldon arriva chez lui, il était déterminé à trouver au moins une solution supplémentaire à l'exercice des allumettes. Il avait été tellement impressionné par la solution de Korina qu'il voulait absolument trouver la sienne. Il étudia l'exercice avec grande attention pendant plus d'une heure, en déplaçant les allumettes dans toutes les positions possibles. À un moment donné, il lui sembla qu'il était sur le point de trouver une solution, mais aucune ne se montra. Au bout d'une heure, déçu, il renonça.

Afin de voir s'il aurait pu trouver quelque chose dans les livres comme ceux dont Brock avait parlé, et qui l'auraient aidé à penser à de nouvelles solutions, Sheldon aurait aimé pouvoir lire quelque chose sur la créativité. Il aurait même lu celui de Brock – *Ayez de grandes idées dans un petit monde* – s'il en avait possédé un exemplaire. Il réalisa qu'il devrait ravaler son orgueil et en demander un à Brock la prochaine fois qu'il le verrait.

Puis, sous l'effet d'une impulsion, il ouvrit *Le Petit Livre du secret de la vie* pour voir s'il trouverait quelque passage sur la créativité qu'il n'avait pas encore lu. Le dernier passage qu'il parcourut cette nuit-là était une source d'inspiration mais il ne trouva rien qui puisse l'aider à résoudre son problème d'allumettes.

Vous êtes personnellement à l'origine des miracles
Qui se produisent au cours de votre vie.

Les miracles vont de pair avec la patience et l'engagement.
N'abandonnez pas avant que le miracle soit arrivé.

Comme il était sur le point de se coucher, il se souvint du paradoxe de la vie facile. Il se remémora aussi les mots de Brock : «Réfléchissez. Réfléchissez. Réfléchissez. Réfléchissez. Réfléchissez. Et quand vous croyez avoir assez réfléchi, continuez à réfléchir.» Motivé par ses mots, Sheldon fit ce qui était difficile et désagréable. Bien qu'il ne s'attendait pas à trouver d'autres solutions, il décida de se concentrer sur l'exercice des allumettes pendant une minute ou deux avant de se coucher.

«Si je bouge l'allumette verticale du chiffre romain six à la droite de l'équation de la droite du V pour la placer à la gauche du V, l'équation sera six plus deux égalent quatre.»

«Cela ne peut certainement pas être une solution», songea Sheldon, qui poursuivit : *«Cependant, essayons quelque chose de différent. Que se passerait-il si je regardais cette nouvelle équation dans un miroir? Lorsque je regarde cette nouvelle équation, je lis six égalent deux plus quatre.»*

«Super! J'ai une nouvelle solution!» s'exclama Sheldon.

De façon instantanée, Sheldon fit l'expérience du sens du mot «Eurêka!» que bien des inventeurs avaient poussé lors d'une découverte importante. Il ressentit aussi un profond sentiment de satisfaction et d'estime de soi. Le fait d'être arrivé à découvrir une solution à tout casser pour l'exercice des allumettes devait avoir un impact incroyable sur le reste de l'existence de l'étudiant.

Lorsqu'il s'endormit, il ne pensa même pas aux cent dollars que Brock allait lui donner. Ce ne fut que le matin suivant qu'il réalisa qu'il avait gagné deux cents dollars en une journée grâce aux cent dollars qu'il avait reçus pour avoir assisté Brock pendant la conférence et aux cent dollars qu'il allait recevoir pour avoir trouvé une solution supplémentaire au problème des allumettes. À ce jour, cela représentait la plus grosse somme d'argent qu'il ait jamais gagnée et sa créativité en avait été responsable pour une bonne partie.

Chapitre V

LA VIE EST UN JEU.
LES GENS HEUREUX EN SONT LES JOUEURS
ET LES GENS MALHEUREUX, LES SPECTATEURS.
QUEL CAMP CHOISISSEZ-VOUS?

Sheldon se réveilla le lendemain matin en pensant à la solution qu'il avait créée avant de s'endormir. Il passa un certain temps à jouir de la satisfaction d'avoir trouvé une solution à laquelle aucun des autres participants n'avait pensé et que Brock qualifierait certainement de solution fumante.

Ensuite, Sheldon se demanda s'il ne serait pas capable d'en trouver une autre. «*Ce serait drôlement bien de gagner cent dollars supplémentaires*», songea-t-il. De façon impulsive, il crut qu'il ne pourrait plus créer de nouvelles solutions, surtout après avoir découvert une solution géniale à ce point. En créer une autre tiendrait du miracle.

Lorsque vous émettez des hypothèses,
prenez le temps d'en créer une de plus.
Prenez pour acquis que toutes vos hypothèses sont fausses.
Et n'oubliez pas d'inclure la dernière dans cette liste.

Puis, comme la nuit précédente, Sheldon entendit Brock lui parler dans son esprit. Cette fois-ci, la voix de Brock lui disait : «La chose importante dont vous devez vous souvenir est qu'il y a toujours plus de solutions à un problème, indépendamment du nombre de solutions que vous aurez trouvées». Sheldon se demandait si ce conseil s'appliquait aussi à l'exercice des allumettes. En supposant qu'il existe d'autres solutions, il jonglait maintenant avec l'idée de créer deux solutions supplémentaires pour gagner deux cents dollars de plus en une journée. À partir de cet instant-là et pour le reste de la journée, Sheldon fut obsédé par l'idée de trouver d'autres solutions.

Si les problèmes n'existaient pas,
vous n'auriez pas la possibilité de gagner votre vie.

Tant que vous aurez des problèmes à résoudre vous serez
amené à vivre des expériences qui vous donneront le souci du travail
bien fait et de la satisfaction.

Maintenant que nous avons tiré cela au clair,
ne trouvez-vous pas que les problèmes sont sensationnels?

Dès que Sheldon eut une minute de libre, il la passa à essayer de résoudre l'exercice des allumettes de façon différente. Lorsqu'il fut à l'université, il préféra ne pas aller manger à la cafétéria avec ses amis. Il passa son heure de repas à la bibliothèque pour la première fois depuis qu'il avait commencé à fréquenter l'université. Au début, il pensa que les plaisanteries et les jeux lui manqueraient, mais il voulait tout faire pour trouver le plus de solutions possible à l'exercice.

Comprenez que bien souvent, les individus n'emploient pas
leur temps à des choses vraiment importantes.

Ce n'est pas parce qu'un milliard de personnes recherchent
la même chose que celle-ci doit nécessairement avoir
quelque valeur pour vous.

Tout au contraire, cela peut être un signe
que cette recherche est parfaitement futile.

Au milieu de l'après-midi, Sheldon n'avait toujours pas réussi à créer une nouvelle solution. Néanmoins, il persista. En quête d'inspiration, il ouvrit *Le Petit Livre du secret de la vie*, qu'il transportait avec lui quand il allait à l'université. Les deux premières réflexions auxquelles il jeta un coup d'œil suffirent à lui rappeler le paradoxe de la vie facile et le motivèrent pour continuer à chercher des solutions.

Ne vous attendez pas à ce que tout soit facile dans la vie.

Si vous réussissez dès la première tentative, soyez assuré
que cela ne se reproduira plus.

Telle sera la réalité, sinon mieux vaudrait ne pas
vous vanter de ce que vous avez accompli.

*Ne vous consternez pas quand rien ne va
comme vous l'auriez souhaité.*

*L'échec est le moyen que nous donne l'univers pour
s'assurer que nous ne soyons pas submergés par la réussite.*

Après avoir assisté à tous ses cours, Sheldon retourna chez lui à pied plus tard dans l'après-midi. Une pluie forte commença à tomber. «Quelle tristesse! pensa-t-il. J'ai passé la plus grande partie de la journée à réfléchir sur cet exercice et je n'ai pas encore découvert d'autres solutions. Maintenant, à cause de cette pluie, je me fais mouiller et j'ai froid.»

*La gravité de vos problèmes n'est
qu'une question de perspective.*

*Changez cette dernière, et la plupart de ces
problèmes n'auront plus d'importance.*

*Certains d'entre eux n'existeront plus en tant que problèmes,
mais se seront changés en occasions de réussir.*

Sheldon courut sous la pluie pendant quelques minutes et repéra une librairie en face de l'endroit où il se trouvait. Il décida immédiatement d'aller se protéger de la pluie dans la librairie. Au moment où il entrait dans le magasin, il pensa qu'il devrait peut-être profiter de l'occasion pour vérifier si ce libraire avait le genre de livres sur la créativité dont Brock avait parlé pendant la conférence. Peut-être trouverait-il dans ces livres quelque chose qui l'aiderait à trouver au moins une solution supplémentaire à l'exercice.

*Faites en sorte que chaque mauvais coup du sort
se transforme en une occasion qui vous soit bénéfique.
De cette façon, l'adversité
accomplira la moitié de votre travail.*

Sheldon trouva rapidement un exemplaire du livre de Roger von Oech – *Ne restez pas assis sur le meilleur de vous-même* – au rayon des livres traitant des affaires. Il s'assit sur une chaise confortable et commença à lire. En feuilletant ce livre, il tomba sur un passage dans lequel l'auteur comparait le cerveau humain à un ordinateur. Ce fut cette déclaration qui amena Sheldon à penser aux ordinateurs. Il se remit en mémoire quelques éléments du premier cours en informatique qu'il avait pris à l'université. Il essaya ensuite de faire un lien entre ces éléments et l'exercice avec les allumettes.

«Si je bouge une des allumettes et que je la pose sur le signe plus, ce dernier ressemble maintenant à un astérisque qui, lui, remplace le signe de multiplication en langage informatique. Maintenant, je vais donc prendre l'allumette qui est à droite dans le chiffre romain deux et la poser sur le plus pour former l'astérisque. L'équation devient alors six fois un égalent six. Voilà donc une autre solution!»

Sheldon ressentit à nouveau une grande satisfaction. Il ne pensa pas que cette solution était aussi bonne que celle qu'il avait trouvée le soir précédent, mais elle n'en était pas moins une solution qu'il avait créée de toutes pièces. En plus, il allait demander à Brock deux cents dollars pour cette manière particulière de résoudre l'exercice, car elle offrait *deux* possibilités. Au lieu de bouger l'allumette de droite du chiffre romain deux, on pouvait également bouger la gauche pour former l'astérisque.

Confiant d'avoir gagné au moins cent dollars et même probablement deux cents cette journée-là, Sheldon décida d'acheter *Ne restez pas assis sur le meilleur de vous-même*. Il avait tout juste le montant nécessaire en poche, mais le livre l'avait déjà aidé à être plus créatif et lui avait rapporté plusieurs fois ce qu'il avait coûté. Il prit également la décision d'acheter le livre de Brock *De grandes idées pour un petit monde* dès que celui-ci l'aurait payé.

Sheldon fut surpris de constater, en sortant du magasin, que la pluie avait cessé. Il pensa que la pluie lui avait vraiment été bénéfique – sans doute un autre cas de synchronisme dans sa vie. S'il n'était pas entré dans la librairie et s'il n'avait pas lu des passages de *Ne restez pas assis sur le meilleur de vous-même*, il était peu probable qu'il aurait trouvé les deux autres solutions.

Les transformations de la vie, les bonnes comme les mauvaises, arrivent sans s'annoncer.

Soyez prêt pour les deux possibilités.
Utilisez votre créativité pour tirer le maximum de ces changements et, dans la grande majorité des cas, tout ira bien.

De retour chez lui, Sheldon s'obligea à passer deux heures à étudier. Dès qu'il eut terminé, son esprit se tourna immédiatement vers l'exercice des allumettes. Pendant qu'il regardait la télé, il se mit à feuilleter le livre qu'il venait d'acheter, espérant trouver quelque chose de nouveau qui puisse le lancer sur la piste d'une autre solution.

Il tomba sur un passage où l'auteur, Roger von Oech, soulignait l'importance de poser la question : *Que se passerait-il si...* «Lorsqu'on se pose cette question, on est forcé de faire travailler son imagination.» Cet énoncé influença Sheldon à se poser les questions suivantes : «Que se passerait-il si je faisais quelque chose de totalement différent? Que se passerait-il si j'utilisais un morceau de papier pour cacher une partie de l'équation après avoir déplacé une allumette? La seule contrainte que Brock nous a imposée pour cet exercice est de ne bouger qu'une seule allumette.»

Après avoir déplacé plusieurs allumettes et caché certaines parties de l'équation avec un morceau de papier pendant plus d'une heure, sa ténacité fut récompensée, et il toucha au but une fois de plus.

Tout d'abord, il déplaça l'allumette de gauche, qui formait le V du chiffre romain six, à gauche de l'équation, et la plaça en position horizontale sur les allumettes qui restaient de celles qui formaient le chiffre romain six. Ensuite, en plaçant un morceau de papier pour couvrir une portion du chiffre et le rendre illisible, il fut capable de créer un quatre en chiffre arabe, selon la numération actuelle.

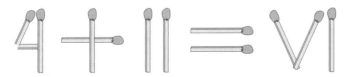

Sheldon conclut immédiatement : «Avec un peu de prouesse mentale, c'est la solution. Mathématiquement parlant, le chiffre quatre plus le chiffre romain deux égalent le chiffre romain six.»

Il était maintenant 22 heures. Sheldon, comme la nuit précédente, était très énervé d'avoir créé une nouvelle solution. Il voulut partager sa joie et son incroyable expérience du travail bien fait, et prit la décision d'appeler Brock pour lui faire part des quatre nouvelles solutions à l'exercice.

Brock répondit à la deuxième sonnerie du téléphone. Sheldon raconta rapidement à Brock qu'il avait découvert quatre nouvelles solutions à l'exercice. Brock sembla seulement un peu surpris.

«Quatre nouvelles solutions? Êtes-vous sûr qu'elles sont toutes valables?

– Certain. J'en suis certain. En vérité, ce sont trois méthodes différentes, mais l'une d'entre elles a deux possibilités, comme celle que Ting a eu l'occasion d'exposer pendant la conférence. Deux allumettes différentes peuvent être bougées pour obtenir le même résultat», ajouta Sheldon, tout confiant. Il marqua un temps d'arrêt et dit : «Que se passe-t-il? Essayez-vous de vous défiler de votre promesse de me donner cent dollars par solution trouvée?

– Pas du tout, répondit Brock du tac au tac. Je vous ai payé rubis sur l'ongle après que vous m'ayez aidé pour les deux conférences et je vous payerai pour toute nouvelle solution, tel que promis. Tenez, pourquoi ne viendriez-vous pas dîner demain soir avec moi au Chianti, sur la Quatrième avenue Ouest? Vous pourrez me montrer vos solutions. Silvina et Korina viendront aussi. Je vous payerai pour les quatre solutions à ce moment-là. J'apporterai même quelques billets de plus, au cas où vous en découvririez une ou deux autres d'ici là. Le dîner est à mon compte. Huit heures, cela vous va?

– Cela me va parfaitement. Je me déplacerais pour un repas gratuit tous les jours de la semaine, plutôt que d'avoir à le préparer.

– J'ai vraiment hâte de voir vos solutions. À demain, huit heures, précisa Brock.

Le soir suivant, Sheldon arriva au Chianti avec quelques minutes d'avance, car il tenait à être à l'heure. Il s'était rappelé de ce que Brock avait dit au sujet de l'importance de respecter ses engagements, aussi petits soient-ils. Lorsqu'il arriva au restaurant, Brock, Silvina et Korina étaient déjà à table.

Sheldon les salua très amicalement. La conversation se dirigea vers Korina et ce qu'elle faisait à l'école. Sheldon était pressé de raconter et de partager ses solutions à l'exercice. Cependant, avant qu'il ne puisse en parler, Brock suggéra qu'ils attendent jusqu'à la fin du repas. Pendant la demi-heure qui suivit, Sheldon parla très peu. Brock, Silvina et Korina faisaient les frais de la conversation.

Silvina se tourna vers Sheldon au milieu du repas et lui dit :

«Sheldon, vous êtes bien tranquille. Qu'y a-t-il d'intéressant et de nouveau dans votre vie?

– Pas grand-chose, répondit Sheldon.

– Voyons donc! Il doit y avoir une foule de choses que vous ne nous dites pas, dit Silvina en protestant légèrement.

– Eh bien, d'accord. Il y avait quelque chose que je voulais raconter à Brock. Venant de moi, je crois qu'il trouvera cela amusant.

– Nous avons tous hâte d'entendre ce que vous avez à dire, dit Silvina avant que Brock ne puisse répondre.

– J'ai téléphoné à ma mère aujourd'hui, dit Sheldon avec un petit sourire. Après lui avoir dit bonjour, je lui ai demandé comment elle allait. Elle a répondu : "Oh! Ça va, mais cela pourrait aller mieux, beaucoup mieux. C'est l'histoire de ma vie. La vie est vraiment toujours aussi difficile. C'est une grande lutte et rien d'autre". Et savez-vous ce que je lui ai répondu? Je lui ai dit : "Voyons donc, maman, elle est facile, la vie! Elle ne le sera jamais totalement, mais elle pourrait le devenir beaucoup plus si tu changeais d'attitude et de conduite. Tu dois suivre le paradoxe de la vie facile". Ensuite, j'ai commencé à lui expliquer le Paradoxe, la façon dont je l'appliquais à certains domaines de ma vie et comment je commençais à en être récompensé.»

Sheldon poursuivit : «Je pense qu'elle a dû se dire que j'étais devenu un peu fou, car elle ne comprenait pas un mot à ce que je lui disais. J'ai l'intention de lui donner des explications plus complètes sur le paradoxe de la vie facile et sur la façon dont elle peut l'appliquer à sa propre vie le mois prochain, quand j'irai lui rendre visite. Peut-être se décidera-t-elle à faire des changements dans sa vie, ce dont elle n'a pas beaucoup parlé depuis ces derniers mois.»

À ce moment-là, Korina, qui manifestement avait voulu prendre la parole depuis les derniers instants, les interrompit joyeusement avec la même exaltation que celle qu'elle avait eue quand elle avait vu le papillon dans le jardin de Brock.

«Brock, ce que Sheldon a dit à sa mère – c'est ça, le titre accrocheur que vous cherchez pour votre nouveau livre sur le paradoxe de la vie facile...

– Ah! Oui? Et qu'a-t-il de si fantastique, Korina?» demanda Brock, légèrement surpris.

Les yeux de Korina brillaient et elle souriait : «Pourquoi ne donnez-vous pas à votre nouveau livre le titre de *Voyons donc, Maman, elle est facile, la vie!*

– Hmmm....» Brock s'arrêta quelques instants pendant que Silvina et Sheldon réfléchissaient à la proposition de Korina.

«*Voyons donc, Maman, elle est facile, la vie!*» répéta Brock. Je pense que j'aime cette idée...

– Je l'adore, dit en souriant Silvina. Je pense que nous avons un titre gagnant.»

Brock fit une petite pause et dit : «Je pense que tu viens de gagner cinq cents dollars, Korina. Après avoir passé autant de temps à chercher un titre, je ne pense pas que j'en trouverai un meilleur...»

Brock s'arrêta de nouveau, se tourna vers Sheldon et dit en plaisantant : «C'est dommage que vous n'y ayez pas pensé, Sheldon. Vous allez devoir utiliser un peu plus votre créativité.

– C'est ça, fit remarquer Sheldon. Ce petit génie créatif a pris les huit mots que j'ai prononcés, les a répétés et vient de gagner les cinq cents dollars que je ne peux plus gagner maintenant...

– Comme David Letterman le dirait, reprit Brock en regardant Sheldon, il n'y a pas d'interrupteur pour arrêter le petit génie chez Korina. Cela fait partie de l'esprit créatif – repérer les bonnes occasions auxquelles les autres ne font pas attention et en tirer avantage. Comme je le répète pendant toutes mes conférences, faites bien attention aux enfants. Vous avez beaucoup à apprendre d'eux, tout spécialement sur la façon d'être plus créatifs.»

Korina se tourna vers Sheldon et lui annonça joyeusement : «Ne vous en faites pas, Sheldon. Lorsque Brock me donnera les cinq cents dollars, je les partagerai avec vous. C'est vraiment vous qui m'avez donné l'idée du titre.»

Avant même que Sheldon ait eu le temps de penser à ce que Korina venait de dire, Brock annonça : «Pas la peine, Korina. Je serai très heureux de donner cinq cents dollars à chacun d'entre vous. Vous avez tous les deux contribué à trouver le titre. Je n'aurai plus à me creuser les méninges pour trouver un titre, et cela vaut facilement les mille dollars que je vais partager entre vous.»

Quand ils eurent fini de manger le plat principal, Brock commanda trois verres de porto pour Silvana, Sheldon et lui. Il commanda aussi une boisson non alcoolisée pour Korina.

Brock dit alors : «Je veux porter un toast à l'équipe Korina-Sheldon pour avoir créé ce titre amusant pour mon nouveau livre. Je suis certain que lorsque *Voyons donc, Maman, elle est facile, la vie* sera un succès de librairie, le titre aura joué un grand rôle. J'ai l'intention de mettre vos deux noms dans la page des remerciements au début du livre.»

Puis, Brock demanda : «Alors, Sheldon, avant que j'oublie, quelles sont les nouvelles solutions au problème des allumettes? Je crois que je vous dois encore de l'argent.»

Sheldon prit à peu près quatre minutes pour expliquer avec fierté ses quatre nouvelles solutions pendant que Korina, Silvina et Brock suivaient ses explications avec beaucoup d'attention. Sheldon avait pensé que Brock allait questionner la validité de sa deuxième ou de sa troisième méthode pour résoudre le problème, mais Brock se trouva satisfait de toutes les solutions.

«Ces solutions sont excellentes. Vous venez de gagner quatre cents dollars supplémentaires, c'est sûr, dit Brock. Vous comprenez maintenant pourquoi il faut prendre la voie difficile et désagréable pour chercher de nouvelles occasions. Cela s'est révélé rentable, n'est-ce pas?»

– En vérité, cela n'a pas été aussi difficile que cela, répondit Sheldon. L'exercice a été stimulant, a exigé du temps mais s'est révélé à la fois excellent pour ma propre estime et très satisfaisant au moment où j'ai découvert les solutions, spécialement la première et la dernière.

– Ça ne me surprend pas. C'est tout à fait normal. L'estime que nous avons de nous-même est étroitement liée à ce que nous accomplissons. Plus un projet est difficile et nous jette un défi, et plus nous éprouvons de la satisfaction lorsque nous l'avons mené à bien. Plus nous avons de projets réussis à notre actif, plus grande est notre confiance en nous-même. Comme je vous l'ai déjà dit le jour de notre première rencontre, indépendamment de ce que cela prend, il est incroyable de voir ce que nous pouvons arriver à créer dans notre vie lorsque nous sommes prêts à y consacrer notre énergie. La ténacité est un des outils les plus importants de notre créativité et elle vous donnera un net avantage sur un individu peut-être plus intelligent ou possédant plus de talent que vous.

– Dites-moi, Brock, pensez-vous qu'il y a d'autres solutions à ce problème? demanda Korina. J'aimerais bien gagner un peu d'argent supplémentaire, moi aussi!

– Il doit y en avoir, Korina. Quand je vois le nombre de solutions que nous avons réussi à trouver, je me dis qu'il pourrait bien y avoir un nombre illimité de solutions. Continue de chercher. Réfléchis le plus que tu peux, car on ne peut prévoir ce que tu vas trouver...»

Brock sortit neuf billets de cent dollars tout neufs de son portefeuille et les donna lentement à Sheldon. «Voici quatre cents dollars pour avoir trouvé les solutions. Heureusement pour vous, j'avais apporté plus d'argent. Voici cinq cents autres dollars pour avoir contribué au titre du livre.»

Brock continua : «Korina, je vais devoir te payer tes cinq cents dollars quand nous arriverons à la maison parce que je n'ai pas apporté assez de billets. Je ne pensais pas que toi et Sheldon alliez me coûter aussi cher ce soir...

– Pas de problème, je peux attendre, dit Korina d'un air enjoué.

Sheldon mit les neuf cents dollars dans son portefeuille et dit en plaisantant à Brock : «Merci pour les gros sous. Je possède maintenant de l'argent que je n'ai pas encore dépensé...

– C'est ça. Cet argent doit être en train de brûler votre poche, remarqua Brock en blaguant. En y pensant bien, voulez-vous me faire plaisir?»

Sheldon s'arrêta quelques instants avant de répondre : «Peut-être. De quoi s'agit-il?

– Au lieu de prendre la voie facile et de dépenser les neuf cents dollars aussi vite que vous le pourrez, pourquoi ne les mettez-vous pas de côté jusqu'à la prochaine conférence? Le sujet principal de celle-ci sera la façon dont le paradoxe de la vie facile s'applique à l'argent et la relation qui existe entre le bonheur et l'argent au cours de notre vie. Vous voudrez peut-être utiliser votre nouvelle richesse autrement qu'en la gaspillant sur quelque chose qui ne contribuera ni à votre bonheur ni à votre satisfaction personnelle à long terme.

– C'est d'accord, je ne dépenserai rien jusque-là, acquiesça Sheldon. Que se passera-t-il si j'arrive à trouver d'autres solutions à l'exercice des allumettes d'ici la prochaine conférence? Me donnerez-vous cent dollars et, en plus, la chance d'utiliser votre Mercedes 190 SL pendant une semaine pour chaque nouvelle solution?

– Tel que convenu, je vous payerai cent dollars pour toute nouvelle solution. À ce stade-ci, vous devriez avoir remarqué que contrairement à nombre de personnes, je respecte mes engagements. Cependant, en ce qui concerne la Mercedes 190 SL, ne pensez pas un seul instant que je vous la laisserai conduire. J'ai comme principe de ne jamais prêter ma voiture à un ami. Je pourrais y perdre la voiture et l'ami si celui-ci avait un accident et ne payait pas les réparations...

«De plus, il est grand temps que vous économisiez de l'argent pour acheter votre propre voiture. Je vous ai déjà donné neuf cents dollars. Pensez que si vous arrivez à trouver dix autres solutions au problème, cela représentera mille dollars additionnels pour votre voiture. Avec les neuf cents que vous avez déjà, vous serez presque à mi-chemin pour acheter une voiture de quatre mille dollars.

– Si jamais j'arrivais à trouver mille solutions supplémentaires au problème, cela pourrait vous mener à la faillite... De cette manière-là, je finirais par m'acheter une voiture sport aussi spéciale que la vôtre, et pas seulement une quelconque caisse sur quatre roues...» dit Sheldon.

«Sheldon, vous ne m'acculerez pas à la faillite, même si je devais vous payer dix mille nouvelles solutions, déclara Brock pendant qu'il demandait au garçon de lui apporter l'addition. Souvenez-vous que je possède ma créativité qui vaut au moins un million de dollars.»

Sheldon allait répondre à Brock mais, une fois de plus, il fut interrompu par Korina.

«Brock, vous avez raison! Il doit exister d'autres solutions à cet exercice. Je viens tout juste de penser à l'une d'entre elles.»

Brock regarda Korina et répondit : «Vas-y. Donne-nous ta solution.»

Toute énervée, Korina dit en souriant : «Pendant la conférence, vous avez bien dit que l'on utilisait des allumettes pour faire l'équation. Je peux donc prendre une allumette, l'allumer et en brûler quelques-unes pour obtenir une bonne réponse. Et je ne fais que bouger une seule allumette.

– Pourquoi n'y ai-je pas pensé? dit Brock, tout étonné, en regardant Silvina et Sheldon.

– Et quelle solution as-tu imaginée? demanda Brock en regardant Korina.

– Il y en a certainement une, affirma Korina.

– D'accord, écrivons l'équation avec des allumettes», proposa Brock.

Brock avait à peine eu le temps de terminer l'équation avec les allumettes que Korina annonça : «Voilà, vous la voyez! Il suffit de prendre une des allumettes du deux; on l'allume, on fait brûler la deuxième de ce même chiffre ainsi que celles du signe " + ". On jette la première allumette. Maintenant l'équation se lit ainsi : six égale six.»

Brock fut très impressionné par cette brillante démonstration. «Cette solution est ahurissante, Korina. Voilà une autre solution à tout casser que j'aurais aimé avoir trouvée moi-même.

– Je vous le concède, dit Sheldon, montrant qu'il était d'accord.

– Ce n'est pas seulement ça, ajouta Silvina. Korina peut bouger n'importe laquelle des allumettes du deux ou du signe " + " pour brûler les autres et obtenir le même résultat. Cela donne quatre solutions différentes et Korina vient de gagner quatre cents dollars, c'est bien ça, Brock?

– C'est bien ça, répondit Brock. Ces deux petits génies me coûtent beaucoup d'argent. Avant d'en avoir fini avec moi, je serai peut-être dans l'obligation de vendre 100 000 exemplaires de mon livre juste pour couvrir les frais. Mais, au moins, j'ai un titre sensationnel et mille et une solutions originales à l'exercice.»

Dans son for intérieur, Sheldon était un peu déçu de ne pas avoir trouvé la dernière manière de résoudre l'exercice. Ce n'était pas seulement le fait de ne pas avoir gagné quatre cents dollars supplémentaires pour les quatre possibilités qui le dérangeait. C'était surtout que cette façon de résoudre le problème était ingénieuse, mais pas suffisamment ingénieuse pour qu'il n'ait pu la trouver lui-même.

*Ne sombrez pas dans la consternation si le monde
ne vous a pas apporté ce que vous voulez.*

*Pour chaque chose qui vous a été refusée,
le monde vous a apporté quelque chose de mieux.*

Il est de votre devoir de découvrir ce qu'il vous a apporté.

De retour chez lui, Sheldon était encore déçu de ne pas avoir lui-même songé aux quatre solutions époustouflantes de Korina, celles où elle brûlait les allumettes. Cela le motiva pour passer encore du temps à rechercher de nouvelles solutions. Bien qu'il fut difficile et pénible de continuer à chercher jusqu'à trois heures du matin, Sheldon réussit à trouver trois nouvelles solutions – toutes fantastiques –, jusqu'au moment où il décida que cela suffisait pour ce soir-là.

Ce fut ce jour-là que Sheldon réalisa vraiment qu'il avait un bel esprit créatif et que sa créativité, bien utilisée, valait un million de dollars. Comme Brock l'avait dit au cours de la seconde conférence : «Il est préférable d'avoir un potentiel créatif valant un million de dollars qu'un million de dollars en banque. Celui que nous avons en banque peut être dépensé ou perdu facilement. Par contre, votre créativité sera toujours là quand vous en aurez besoin.»

*Il suffit d'une idée géniale pour que votre vie change de façon
stupéfiante.
Cherchez-la.
Elle se trouve quelque part.*

Avant de s'endormir, Sheldon réfléchit à ce qu'il allait pouvoir apprendre de Brock pendant la prochaine conférence sur la façon d'appliquer le paradoxe de la vie facile à l'argent et au bonheur.

Chapitre VI

IL PEUT ÊTRE DIFFICILE DE TROUVER LE BONHEUR À L'INTÉRIEUR DE NOUS-MÊME, MAIS IL EST PRATIQUEMENT IMPOSSIBLE DE LE TROUVER AILLEURS. SI L'ON PREND POUR ACQUIS QUE LA MAJEURE PARTIE DU BONHEUR VIENT DE NOTRE ESPRIT ET DE NOTRE ÂME, OÙ IREZ-VOUS LE CHERCHER?

Brock commença la troisième conférence en demandant aux stagiaires si quelques-uns d'entre eux avaient appliqué le paradoxe de la vie facile ainsi que les sept principes de la créativité depuis la dernière conférence. Zoria, une femme dans la trentaine qui s'était tenue coite jusque là, fut la première à parler. Elle raconta comment elle avait réussi à résoudre une crise familiale. Par respect pour sa vie privée, elle ne voulut pas entrer dans les détails de ce qui s'était passé. Il s'agissait d'un problème familial majeur qui provoquait beaucoup d'anxiété, de stress et de colère chez plusieurs membres de sa famille et nul moyen ne semblait pouvoir résoudre ce problème.

Zoria déclara : «Je me suis souvenu que Brock avait dit qu'il y a toujours plus d'une solution à chaque problème et que la solution miracle apparaissait toujours après la septième ou la huitième. Même si tous les membres de la famille s'étaient résignés à adopter une solution qui ne plaisait à personne, j'ai continué à chercher d'autres solutions. Après trois jours de crise, je suis finalement arrivée à la solution miracle. Elle a résolu le problème à la satisfaction de tout le monde.»

Plusieurs autres stagiaires racontèrent leur histoire à leur tour. Joe fut le dernier à faire part de son expérience. Il raconta comment il avait réussi à se faire engager comme directeur adjoint dans un magasin de sports. «Au lieu de prendre la voie facile et agréable en faisant ce que les autres faisaient, j'ai choisi la voie plus difficile, raconta Joe avec assurance. Tous les autres candidats avaient envoyé leur curriculum vitæ dans l'espoir d'obtenir une entrevue et ensuite, de convaincre la personne qui faisait l'entrevue de les engager. J'aurais pu faire la même chose, mais j'ai décidé d'agir autrement.

«Je suis allé au magasin et j'ai observé ce qui s'y passait pendant deux heures. J'ai remarqué qu'il y existait des lacunes à plusieurs endroits et que l'on pouvait y apporter des améliorations. Ensuite, j'ai appelé le directeur; je lui ai fait part de ce que j'avais vu et des améliorations que je pourrais faire s'il m'engageait. Il m'a rapidement demandé de venir le rencontrer et il m'a offert le poste immédiatement sans faire passer d'entrevue à qui que ce soit d'autre.»

Après que Brock eut remercié les stagiaires qui avaient fait part de leurs expériences, il donna un aperçu de ce qui allait suivre : «Au cours de cette session, nous allons voir comment l'application du paradoxe de la vie facile peut avoir un rapport avec notre façon de nous comporter avec l'argent pour que nous n'ayons pas de problèmes financiers sérieux. Nous verrons également comment le paradoxe de la vie facile peut influer sur la quantité de bonheur que vous pouvez avoir dans votre vie.»

Brock, qui était sur l'estrade, leva la voix à ce moment-là.

«COMMENÇONS PAR L'ARGENT... L'ARGENT, L'ARGENT, L'ARGENT. PRATIQUEMENT TOUT LE MONDE DÉSIRE EN AVOIR BEAUCOUP. IL EST SÛR QUE, DANS NOTRE MONDE OCCIDENTAL, RIEN N'EST PLUS ESTIMÉ, RIEN N'EST PLUS PRÉCIEUX QUE L'ARGENT. POUR CERTAINES PERSONNES, L'ARGENT PEUT ÊTRE PLUS IMPORTANT MÊME QUE LA VIE.

«ET POURTANT, L'ARGENT PEUT ÊTRE CE QUE VOUS VOULEZ QU'IL SOIT. IL PEUT ÊTRE À LA SOURCE DE TOUT MAL, IL PEUT REPRÉSENTER LA RÉPONSE À TOUT, ÊTRE QUELQUE CHOSE QUI VOUS BRÛLE LES DOIGTS OU ENCORE, LA CLÉ DE LA LIBERTÉ. L'ARGENT PEUT ÊTRE UN CONCEPT INTÉRESSANT OU ENCORE, SE RÉVÉLER UN CONCEPT D'UNE STUPIDITÉ CRASSE.

«Vous seul décidez de la signification qu'aura l'argent pour vous. Si, pour vous, l'argent représente quelque chose de mauvais, vous êtes responsable de l'avoir rendu mauvais. Si, pour vous, l'argent pose un problème, vous êtes le créateur de ce dernier. Si l'argent constitue quelque chose de précieux, vous avez fait en sorte qu'il le devienne. Et s'il est source de joie, vous avez créé ce concept. Vous devez assumer l'entière responsabilité de la conception que vous avez de l'argent. Comprenez bien que ce ne sont que des concepts – rien de plus, rien de moins. Les concepts sont des croyances – et souvenez-vous que toute croyance qui n'est pas remise en question devient une maladie.

«Nous avons déjà discuté de l'importance d'entreprendre la tâche ardue qui consiste à remettre en question nos croyances les plus chères. Dois-je vous apprendre que les idées préconçues que nous entretenons à propos de l'argent sont celles auxquelles nous nous attachons le plus. Je vous suggère de mettre vos croyances de côté au moins jusqu'à la fin de cette conférence, quelles qu'elles soient et quoi qu'elles vous apportent.

«Il ne fait aucun doute que l'argent peut nous apporter beaucoup, mais nous lui laissons prendre un trop grand contrôle sur nos vies. Le problème vient de ce que beaucoup d'entre nous ne reconnaissent pas la vérité concernant l'argent. Il se peut que certains d'entre nous ne connaissent pas la vérité mais, surtout, ne veuillent pas la connaître. Il existe d'autres personnes qui, bien que connaissant la vérité au plus profond d'elles-mêmes, refusent de la voir. Si elles devaient l'admettre, cela signifierait la destruction de leurs rêves mais leur sauverait la vie.

«Nous nous accrochons à nos croyances, à nos attitudes et à nos hypothèses sur l'argent, sans regarder toutes les contradictions que le monde nous apporte. Cela nous confine dans une relation malsaine vis-à-vis de l'argent. Il est malheureux que de telles attitudes, irréalistes et malsaines, conduisent à de sérieux problèmes financiers qui peuvent compliquer tous les aspects de notre vie.

«Si l'on veut avoir une bonne relation avec l'argent, il est important de le remettre à sa juste place. Lorsque l'on parle d'argent, une chose est très vraie : le fait d'en manquer pour le strict nécessaire peut rendre notre vie très malheureuse; d'un autre côté, ce n'est pas le fait d'en posséder beaucoup qui nous garantit le bonheur. Cela peut paraître contradictoire, mais ce n'est pas le cas. Plus tard, au cours de cette conférence, nous allons discuter des raisons pour lesquelles, lorsque nous recevons une grosse somme d'argent, notre bonheur n'est pas assuré pour autant.

«Je pense que tout le monde sera d'accord pour dire que si l'on manque d'argent pour les choses importantes de la vie, notre bonheur s'en trouve diminué. Cela dit, nous devons savoir bien l'utiliser si nous voulons être certains d'en avoir suffisamment. C'est à ce moment précis que le paradoxe de la vie facile entre à nouveau en jeu. Pour ceux d'entre vous qui peuvent avoir oublié à quoi ressemble ce fameux Paradoxe, nous allons vous le remontrer.»

Sheldon démarra l'ordinateur pour pouvoir projeter l'image sur l'écran.

LE PARADOXE DE LA VIE FACILE

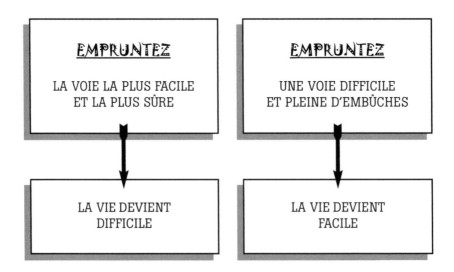

Brock continua en désignant le côté gauche du diagramme. «Là encore, en ce qui concerne notre relation avec l'argent, quatre-vingt-dix pour cent d'entre nous prennent la voie facile et agréable. Inutile de vous dire que si nous appartenons à cette catégorie de personnes, nos finances sont mal en point et nous rendent la vie pénible. Autrement dit, nous finissons par avoir des problèmes d'argent et le pire, c'est que nous refusons de voir ce qui a causé ces problèmes.

Il est facile et rassurant, mais financièrement préjudiciable de :

• Croire que tous nos problèmes financiers sont causés par des forces extérieures à nous plutôt que *par* nous;

- Faire ce que tout le monde fait;

- Dépenser tout l'argent que nous gagnons;

- Dépenser tout l'argent que nous pouvons emprunter;

- Choisir un plaisir immédiat plutôt qu'une liberté financière à long terme.

Après que Brock eut fini de lire ce qui était sur l'écran, il expliqua pourquoi les stagiaires devaient assumer la responsabilité de leurs finances.

«Si vous voulez avoir une vie facile et agréable sans problèmes financiers, la première chose difficile et pénible à faire est d'accepter le fait que vous êtes responsable de vos problèmes financiers – aujourd'hui et pour toujours. Avez-vous un coupable à désigner? Cela peut vous paraître difficile à admettre, mais vous êtes la personne à blâmer. Lorsque vous accusez les forces extérieures, vous êtes sûr de vous retrouver avec des problèmes financiers, indépendamment de vos revenus.

«Les gens qui empruntent la voie facile et agréable disent que la cause de leurs problèmes d'argent est justement le manque de fonds. Ce genre de mentalité les conduit à de perpétuels problèmes financiers. Ils deviennent les victimes de leurs propres erreurs et ne se débarrasseront jamais de leurs difficultés financières.»

Shona, une autre femme qui n'avait pas parlé pendant les deux premières conférences, leva la main. Brock se tourna vers elle et lui laissa la parole.

«Je ne suis pas d'accord avec vous. Lorsqu'on n'a pas suffisamment d'argent pour payer ses comptes, les problèmes financiers arrivent et on ne peut manifestement pas s'autoflageller pour cela, dit Shona en protestant. Il est évident que les gens qui ont atteint une indépendance financière n'ont pas de problèmes d'argent. Ceux et celles qui ont des revenus d'un demi-million de dollars par an peuvent prétendre avoir une liberté financière. Les individus qui vivent avec de maigres revenus auront tous des problèmes financiers, et ceux qui gagnent un demi-million de dollars par an n'en auront jamais.

– Je peux vous certifier qu'il existe des dizaines de milliers de personnes qui ont un revenu de 25 000 dollars par année sans éprouver de problèmes financiers, rétorqua Brock. D'autre part, il y a beaucoup de personnes qui gagnent un demi-million de dollars par an et qui ont de tels problèmes financiers que leurs créanciers les pourchassent jusque dans leurs derniers retranchements. Beaucoup de ces personnes à revenu élevé font plusieurs faillites personnelles pendant leur vie alors que des millions d'individus ayant de petits revenus n'en font jamais. N'est-ce pas là une bonne indication que les problèmes d'argent ne sont pas toujours en relation avec les revenus?

– Je suppose que oui, mais il est certainement plus facile d'éliminer ses problèmes d'argent quand on atteint une certaine liberté financière, insista Shona.

– Entendons-nous bien sur une chose, Shona : pour atteindre la liberté financière, il est important d'établir clairement ce qu'est cette liberté. La vraie liberté financière n'a rien à voir avec les revenus que nous gagnons. La liberté financière ne signifie rien de plus que d'avoir plus d'argent qui entre qu'il n'en sort. Si vous gagnez 1 500 dollars par mois et que vous en dépensiez 1 450, devinez ce qui va vous arriver? Vous atteindrez la liberté financière parce que vous n'aurez pas de problèmes d'argent. Donc, le secret de la liberté financière, c'est d'avoir toujours plus d'argent qui entre que d'argent qui sort.

– Cela suppose que l'on ait un revenu. Or, c'est plus facile à dire qu'à faire, répliqua Shona en soupirant.

– Cela ne fait aucun doute, Shona. C'est exactement de cela dont traite le paradoxe de la vie facile : faire tout ce qu'il y a de difficile plutôt que de faire ce qu'il y a de facile. Nous avons déjà expliqué comment utiliser notre créativité et comment profiter des occasions pour gagner plus d'argent. Bien sûr, il est plus facile de ronchonner au sujet de l'argent plutôt que d'aller en gagner. Mais il ne sert à rien de se créer toutes sortes de croyances sur la manière dont la société et le système nous traitent sur le plan financier. Nous finissons par avoir une montagne d'excuses pour expliquer notre manque d'argent, au lieu d'apprendre les techniques qui nous permettront d'obtenir les sommes dont nous avons besoin pour mener une vie pleine et satisfaisante.»

Brock s'adressa ensuite à l'ensemble de l'auditoire.

«Bien sûr, chacun d'entre vous a la capacité de gagner un revenu convenable. En tant que personnes sous-performantes, vous avez le choix : vous pouvez passer tout votre temps dans des cafés à discuter de sujets ésotériques avec de pseudo-intellectuels, ou vous pouvez utiliser une partie de ce temps à travailler à des projets créatifs et constructifs. Cette dernière façon d'agir vous apportera satisfaction, bonheur et richesse; la première ne fera que vous mener au désordre, à la frustration, à la colère, au ressentiment et, dans la majorité des cas, à la pauvreté.

«Il n'y a rien de mal à prendre la vie du bon côté. En fait, je suis le premier à me faire l'avocat d'une vie équilibrée entre le travail et les loisirs. Cependant, si l'on consacre tout son temps à des activités nébuleuses, cela ne laisse aucune place aux activités créatrices et constructives qui sont tellement importantes pour arriver à un résultat financier positif. Une fois que vous aurez mis votre talent créatif au travail, il deviendra relativement facile de gagner suffisamment d'argent pour les dépenses essentielles. En réalité, la vaste majorité des Occidentaux peuvent se vanter d'avoir un revenu convenable.

«Mettons-nous donc tous d'accord pour dire qu'un jour ou l'autre, nous allons mettre nos talents et notre créativité à l'épreuve pour obtenir un revenu convenable. Une fois notre argent gagné, le dépenser avec sagesse devient un projet qui tient de la magie. N'importe quel idiot peut dépenser de l'argent; cependant, on a besoin d'un sens des responsabilités, de volonté, de sagesse et de génie pour en dépenser une partie sur des choses qui nous apportent de profondes satisfactions et économiser le reste pour des choses qui auront beaucoup d'importance dans notre vie future. C'est cette voie qui mène à la liberté financière et qui nous évite les problèmes d'argent.»

Brock s'arrêta quelques instants pour jeter un coup d'œil à ses notes disposées sur le pupitre.

«Examinons maintenant une des choses les plus difficiles que nous ayons à faire pour éviter les problèmes d'argent : nous devons comprendre nos émotions et leur influence sur notre façon de le gaspiller. Nous aurons toujours des problèmes d'argent si nous ne regardons pas ces problèmes en face et si nous ne les corrigeons pas.

– Vous nous faites tous passer pour des névrosés, interrompit Joe en faisant un grand sourire. De quelle sorte de problèmes affectifs parlez-vous?

– Je parle des problèmes affectifs qui nous font dépenser l'argent que nous ne possédons pas sur des choses qui ne nous apportent aucune satisfaction, précisa Brock. Vous avez déjà dû remarquer que les habitudes de certains d'entre nous en ce qui concerne les dépenses dépassent l'entendement. Will Rogers l'a dit d'une manière bien plus éloquente que je ne saurais le faire : "Beaucoup trop de personnes dépensent l'argent qu'elles n'ont pas gagné pour acheter des choses dont elles ne veulent pas, afin de snober des personnes qu'elles détestent."»

On entendit quelques rires pendant que Brock continuait.

«Je crois que tout le monde ici sera d'accord pour dire qu'il y a un peu de cette folie financière en chacun de nous. La seule façon de changer ce type de comportement totalement irrationnel est de comprendre nos désirs affectifs sous-jacents et de les combler par quelque chose que l'argent ne peut pas acheter. L'argent peut nous procurer des voitures, des maisons, des babioles, des liaisons éphémères, des relations superficielles, des attentions à bon compte et un statut artificiel. Cependant, l'argent ne peut acheter la paix, l'amour et le bonheur.»

Brock passa ensuite plus de vingt minutes à expliquer que les motivations psychologiques de l'inconscient et qu'une perception amoindrie de la réalité sont normalement responsables du comportement profondément irrationnel des gens face à l'argent. Derrière chaque envie de dépense déraisonnable se cache un profond désir affectif qui mérite que l'on s'y arrête. Cela peut être la soif de pouvoir ou de renommée, le besoin de liberté, de vengeance, de respect, de sécurité ou de dignité personnelle. Cela peut même être le désir de se sentir aimé.

«Ce n'est pas un seul de ces désirs affectifs inassouvis mais plusieurs d'entre eux qui, mis en conjonction, amènent des personnes normales à acheter des choses dont elles n'ont pas besoin et qu'elles ne peuvent pas se permettre. Nous devons être en mesure de confronter ces désirs, car dans bien des cas, la possession de nouveaux biens ne nous rendra pas la vie plus facile. Un sentiment d'insuffisance socio-affective en tant qu'êtres humains peut pousser certains individus à faire des achats irrationnels pour le restant de leur vie.

«La plupart des gens rationalisent leurs dépenses, au lieu d'admettre ce qui les pousse à faire ces mêmes achats.» Brock donna l'exemple de la personne qui venait d'acheter de façon compulsive le dernier ordinateur, au coût de 5 000 dollars, malgré le fait qu'il en avait acheté un de 4 000 dollars l'année précédente. Il rationalise son achat en disant que ce nouvel ordinateur lui permettra d'être plus productif quand il rapportera du travail à la maison. Cette rationalisation n'a aucun sens si l'on considère le fait que 95 pour cent du temps qu'il passait sur son ancien ordinateur servait à faire des rencontres galantes sur Internet. La raison sous-jacente qui l'a poussé à changer d'ordinateur est la peur de perdre le respect d'ineptes amis snobinards qui se font un point d'honneur de toujours posséder le dernier modèle.

Un autre exemple que Brock donna fut celui de cette femme qui, alors qu'elle allait décrocher son M.B.A., avait excédé la limite sur sa carte de crédit pour s'offrir une montre Cartier de 3 000 dollars. Même si elle devait 45 000 dollars en prêts étudiants et qu'elle n'avait aucun emploi en vue, elle justifiait cette dépense en disant que cette montre était une juste récompense pour tout le travail qu'elle avait fourni pour obtenir son diplôme. Dans ce cas-ci, le manque de confiance en soi est le problème émotionnel sous-jacent qui l'amène à faire des dépenses totalement irrationnelles. Elle cherche à se donner un statut social pour compenser la triste image qu'elle a d'elle-même. Cela confirme certaines études qui démontrent que les étudiants en sciences économiques sont ceux qui auraient davantage tendance à acheter des montres chères, des stylos et des porte-documents luxueux quand leurs notes sont basses et qu'ils font face à un avenir incertain.

Brock résuma cette partie de la conférence sur la façon de s'occuper de ses finances en disant que l'argent est un moyen sur lequel les individus fondent leurs désirs les plus profonds, leurs besoins, leurs objectifs, leurs espoirs et leurs rêves. Malheureusement, nos aspirations affectives comme la réussite, le bonheur et la tranquillité d'esprit ne peuvent trouver leur satisfaction dans l'argent. Ces aspirations ne se trouvent comblées que par la créativité et la croissance spirituelle.

Pour gagner à ce jeu qu'on appelle «la vie»,
il n'est pas obligatoire de tout entreprendre.
Prenez du temps pour examiner
ce que vous désirez vraiment.
La réponse vous surprendra.

Brent, le jeune barbu aux cheveux longs qui avait posé à Brock des questions sur les croyances ou les idées préconçues lors de la première conférence, et sur la créativité lors de la deuxième, remit en question ce que disait Brock sur les besoins et les désirs des gens.

«Que pensez-vous des niveaux de besoins tels que les a décrits Abraham Maslow? Nous avons beaucoup de désirs non comblés au chapitre des aspects physiques et de la sécurité. Pour cela, il faut de l'argent. C'est pour cela que les individus achètent tout ce qu'ils achètent.

– C'est un fait, nous avons tous des besoins d'eau, de nourriture, d'abri, de sécurité, répondit Brock. Cela va plus loin que cela : la question est de savoir de quelle quantité d'eau, de nourriture, et de quel type d'abri et de sécurité nous avons besoin. Les gens souhaitent améliorer leur alimentation, leur habitat et leur sécurité, et il s'agit là de besoins. Toutefois, nous parlons ici de désirs inassouvis, et non de besoins non comblés. Un désir est différent d'un besoin. En fait, si vous faites un examen de conscience, vous verrez qu'à l'heure actuelle, tous vos besoins sont comblés.

– Non, ils ne le sont pas, affirma Brent. Beaucoup de mes besoins ne sont pas comblés.

– Brent, vous vous leurrez lorsque vous parlez de vos besoins non comblés, répliqua Brock. Non seulement vos besoins sont-ils comblés aujourd'hui, mais ils l'ont été dès le jour de votre naissance. Autrement, vous ne seriez pas en vie aujourd'hui.»

La plupart des stagiaires sourirent en voyant Brent froncer les sourcils. Il réfléchit pendant quelques instants avant de répondre.

«D'accord. Appelons cela un cas de sémantique. Ce que j'ai, c'est une longue liste de désirs inassouvis.

– Et alors? répondit Brock du tac au tac. C'est la même chose pour tout le monde sur cette planète. Les économistes disent que nous sommes insatiables; cela signifie que nous ne parvenons pas à satisfaire tous nos désirs. Et si tel est le cas, vous devez apprendre à contrôler vos désirs, sinon, vous allez être acculé à la ruine. Comme cet auteur de graffitis l'avait écrit : "Vous n'aurez jamais assez de ce dont vous n'avez pas besoin."»

Brent haussa les épaules mais ne fit aucun commentaire.

«Brent, ne m'interprétez pas mal, reprit Brock. Il n'y a aucun mal à avoir des désirs matériels et à les satisfaire si vos moyens vous le permettent. Ce qui met la santé financière des gens en péril, ce sont les achats qu'ils font sans en avoir les moyens. Et, ce qui est encore plus triste, c'est que ces mêmes personnes ne tiennent pas *vraiment* à une bonne partie de ce qu'ils se procurent. Ils pensent qu'ils les veulent parce que les publicitaires les ont convaincus qu'ils ne peuvent pas être heureux s'ils ne possèdent pas toutes ces bricoles que l'argent permet d'acheter.

«Essayons d'examiner comment éviter de tomber dans le piège qui nous fait acheter ce dont nous n'avons pas besoin et ce que nous ne voulons pas vraiment, dit Brock en retournant vers l'estrade et en s'adressant de nouveau à tout le monde. Voici le moyen le plus efficace pour vous occuper de vos désirs afin de ne pas finir dans une pétaudière financière tout en devenant l'heureux propriétaire d'une foule d'objets personnels qui ne vous font aucun bien.

«Lorsque vous achetez quelque chose, vous devez prendre la voie difficile et désagréable. Vous devez contrôler vos désirs en prenant le temps de réfléchir à vos achats éventuels. Demandez-vous quel sera le bénéfice ou quelle sera la satisfaction que vous retirerez de l'objet ou du service que vous avez l'intention d'acheter. Si vous êtes toujours honnête avec vous-même, vous finirez par acheter une infime fraction de ce que vous achèteriez si vous ne preniez pas le temps de remettre en question les bénéfices que vous espérez en tirer.»

Il est aussi important de décider de ce que
vous ne voulez pas dans la vie
que de décider ce que vous voulez.

*Donnez-vous la permission de vous départir
des choses qui ne vous rendent pas heureux.*

*Assez bizarrement, ce ne sont pas celles
dont on se débarrasse facilement.*

Erica, la jeune femme radieuse et positive dans la vingtaine qui avait dit, lors de la première conférence, qu'elle ne voulait pas souffrir toute sa vie à cause du paradoxe de la vie facile, protesta à nouveau.

«Brock, je ne crois pas que j'aie envie de remettre en question tous mes achats chaque fois que je mets les pieds dans un magasin. Cela m'enlèverait tout le plaisir que je peux avoir à faire des courses, et rendre l'expérience fatigante et pénible. Je parie que vous ne prenez pas toujours le temps de penser à vos achats. N'achetez-vous jamais rien sous le coup de l'impulsion?

– Naturellement, j'achète quelques objets sous le coup de l'impulsion, admit Brock mais, en général, ce sont des achats de moins de vingt dollars. Gardez à l'esprit que je peux le faire pour des babioles bon marché parce que j'ai un revenu largement au-dessus de la moyenne. En ce qui concerne les achats de plus de vingt dollars, j'évalue toujours les avantages que je pourrai en tirer. Et devinez quoi, Erica?

– D'accord, je donne ma langue au chat. Quoi? dit Erica avec bonne humeur.

– Je trouve toujours que mes meilleurs achats sont ceux que je n'ai jamais faits, dit Brock en souriant.

(Quelques petits rires.)

«Mais pourquoi ne pas dépenser votre argent? N'est-il pas fait pour être dépensé? demanda Ting malicieusement.

– Bien sûr. Je ne peux pas faire autrement que d'être d'accord avec vous. Je ne remettrais en question aucun de mes achats si mes revenus étaient sans limites, mais qui se trouve dans une telle situation? C'est pour cela que j'économise l'argent pour mes dépenses à venir. On a déjà dit qu'acheter ce dont on n'a pas besoin revient à se voler soi-même. Vous avez certainement expérimenté cela vous-même à plusieurs reprises : il est impossible de dépenser votre argent sur quelque chose d'important après l'avoir dépensé ailleurs.

– Je dois avouer que cela m'est arrivé plusieurs fois, dit Ting en riant.

– Permettez-moi de vous dire autre chose sur la façon de contrôler vos dépenses en contrôlant vos désirs, dit Brock. Avec un peu de volonté, vous pouvez vous passer de la plupart des choses que vous désirez avoir pendant une semaine ou deux. Avec un peu plus de volonté, vous vous en passerez pendant un mois. Vous découvrirez alors que, dans la majorité des cas, chaque fois que vous vous passez de l'objet convoité pendant assez longtemps, ce désir, normalement, disparaît.»

Pendant la plus grande partie des deux heures, Brock discuta des divers principes de saine gestion de l'argent comme celui d'éviter autant que possible d'utiliser des cartes de crédit. Il expliqua aux stagiaires que ce n'est pas en dépensant leur argent qu'ils pourraient acquérir le respect de soi, le bonheur et la prospérité. En plus, il leur déconseilla de dépenser l'argent qu'ils n'avaient pas. «Le stress financier d'avoir à payer pour quelque chose de cher que vous avez acheté il y a longtemps et qui ne vous a même pas fait plaisir, est incalculable, précisa-t-il.

«C'est aussi simple que cela : votre situation financière dépend de la façon dont vous traitez l'argent. Elle sera saine quand vous serez responsable de votre argent et que vous le respecterez. Lorsque vous ne respectez pas votre argent, c'est envers vous-même que vous manquez de respect. Et si tel est le cas, vous repoussez toutes les bonnes choses de la vie, y compris la richesse.

«Les individus dépensent leur argent dans l'espoir de faire plaisir aux autres afin de se faire accepter d'eux. L'alternative est de dépenser votre argent pour vous faire plaisir – à vous seulement. Vous constaterez que vous dépenserez beaucoup moins d'argent quand vous aurez surmonté votre envie de faire plaisir aux autres pour que ceux-ci vous acceptent.

«La solution est de devenir une personne en accord avec soi-même. Les personnes en accord avec elles-mêmes ont le sentiment d'être en contact avec leur moi profond et n'ont pas besoin d'essayer d'impressionner les autres. En développant votre moi intérieur et en n'ayant pas besoin d'impressionner les autres, vous vous apercevrez que vous n'avez pas besoin d'autant d'argent pour fonctionner dans le monde extérieur. En fait, dix minutes de méditation tranquille, chaque jour, vous feront épargner des milliers ou des dizaines de milliers de dollars par an.»

Brock insista aussi pour que les stagiaires prennent le chemin difficile et pénible en économisant une partie de leur salaire, aussi petit soit-il. «C'est ici que l'on applique vraiment le paradoxe de la vie facile, souligna-t-il. Et cela revient à l'importance de respecter les engagements que vous prenez envers vous-mêmes. Il y a un prix à payer pour se constituer un bas de laine pour l'avenir; cependant, si vous dépensez tout votre argent aujourd'hui, le prix à payer sera plus important plus tard.

«Une fois que vous aurez commencé à économiser dans un but précis, faites en sorte de ne jamais toucher à cet argent. Déclarez cet argent comme intouchable. Si vous prenez le chemin facile, vous dépenserez cet argent à la première occasion en plaisirs rapides. Malheureusement, ces plaisirs éphémères coûtent très chers et nous attirent de gros ennuis financiers.

«Si vous prenez la voie difficile et pénible, vous résisterez à la tentation de puiser dans vos économies. En économisant une partie de votre revenu et en voyant fructifier ces fonds que vous avez bloqués, vous découvrirez qu'il n'y a rien de plus agréable que ce petit bas de laine qui vous donne un sentiment de liberté financière. Souvenez-vous que dépenser dix pour cent de plus ou dix pour cent de moins que ce que vous gagnez fera la différence entre le chaos financier – et éventuellement la faillite financière – et un bien-être financier empreint de liberté.

«Si l'un d'entre vous pense que son revenu est trop maigre pour faire des économies, il ou elle devrait prendre exemple sur Oseola McCarty. Cette femme gagnait sa vie en lavant du linge et n'était pas allée plus loin que le cours élémentaire. En 1995, à l'âge de quatre-vingt-sept ans, elle est devenue célèbre après avoir fait un don de 150 000 dollars pour offrir des bourses universitaires destinées à des étudiants noirs pauvres de l'Université du Sud du Mississipi. Je dois vous signaler que jusque-là, elle n'avait jamais mis les pieds dans un établissement de haut savoir.

«Ce don lui mérita plus tard un doctorat honoris causa de l'Université Harvard. Elle a également reçu les félicitations du président Bill Clinton et des Nations Unies. Voilà qui n'est pas si mal pour une femme qui n'avait qu'une sixième année et qui, toute sa vie, avait gagné un salaire que la plupart d'entre nous aurions rejeté parce qu'il était trop bas pour en vivre.

«Comment une femme avec un revenu aussi bas a-t-elle pu économiser 150 000 dollars pour les donner à une université? Vous devriez être tous en train de me poser cette question... dit Brock avant de s'arrêter brièvement.

«Voilà qui est simple, mais pas facile, continua Brock. Madame McCarty a pris la voie difficile en ce qui concerne son argent. Fermement décidée au départ, elle en a économisé une bonne partie au lieu de le gaspiller sur des achats non nécessaires ou qu'elle ne désirait pas vraiment. Cette dame généreuse a en fait réussi à économiser plus de 250 000 dollars en lavant et en repassant chez elle les vêtements des autres. Inutile de vous dire que sa maison n'avait pas l'air climatisé. Et que son revenu était bien plus bas que ce que chacun d'entre vous peut gagner avec un minimum d'efforts.

«En hommage à Mme McCarty, je voudrais finir mon laïus sur la manière de traiter l'argent en la citant. En 1996, après avoir distribué une bonne partie de ses économies, elle a écrit un livre dont le titre est *Simple Wisdom for Rich Living*[7]. Dans son livre, Mme McCarty nous conseille ceci : "Les personnes qui avancent dans la vie ne sont pas celles qui gagnent beaucoup d'argent, mais celles qui savent comment l'économiser." Cela peut paraître de la sagesse tricotée maison, mais cela tient en fait d'une philosophie super efficace. Je voudrais surtout que vous reteniez suffisamment l'histoire de Mme McCarty pour ne jamais avoir – comme ce fut son cas – de sérieux problèmes d'argent.»

Quand Brock eut terminé la partie de la conférence sur l'argent, il restait quarante-cinq minutes. Il proposa une pause-café de quinze minutes et déclara que la dernière demi-heure serait consacrée à la façon d'atteindre le vrai bonheur pour le restant de ses jours.

---

[7] Titre qui se traduirait par : *Éléments de sagesse pour une vie comblée.*

Être heureux sur terre n'est pas votre droit.
C'est cependant votre devoir et votre responsabilité.

«Eh bien! proclama Brock à voix haute mais avec un ton conciliant pour commencer cette dernière partie de la conférence. Maintenant que vous êtes tous en route pour devenir prospères et pour gérer votre richesse avec sagesse, la dernière chose que nous allons faire est de voir comment le paradoxe de la vie facile s'applique au bonheur. Plusieurs d'entre vous pensent que si on va vers la richesse, cela revient à dire qu'on va automatiquement vers le bonheur.

«Il n'y a rien de plus faux. La vérité est qu'une fois nos besoins essentiels comblés, le bonheur ne fait pas attention à l'argent. Les personnes sages ont toujours dit que l'argent ne faisait pas le bonheur, mais personne – absolument personne – n'a l'air d'y croire à l'heure actuelle.»

Michelle, une femme qui était assise au milieu des participants, offrit très rapidement son opinion sur l'argent et sur sa relation avec le bonheur. «Je suis d'accord pour dire que beaucoup d'argent ne me rendra pas nécessairement heureuse, ajouta-t-elle, mais je pense que si j'avais l'argent pour faire les choses dont j'ai envie, je serais plus heureuse.

– Quel genre de choses? demanda Brock.

– Eh bien, par exemple, répondit Michelle, je suis très malheureuse à Vancouver. J'aimerais avoir de l'argent pour m'acheter un joli petit bout de terrain à la campagne où je pourrais faire l'expérience d'un bonheur et d'une félicité que je ne peux obtenir en vivant dans une grande ville.

– Il se pourrait que vous soyez heureuse de vivre à la campagne, il se pourrait aussi que vous ne le soyez pas. De toute façon, je vous souhaite bonne chance, Michelle», dit Brock.

Tous les gens semblent vouloir être ailleurs
que là où ils se trouvent.

Choisissez de vivre exactement là où vous êtes maintenant et vous
serez plus heureux que 90 pour cent de l'humanité.

Surprise par la réponse de Brock, Michelle demanda avec indignation : «Pourquoi aurais-je tort de penser que je serais beaucoup plus heureuse si je vivais à la campagne plutôt qu'en ville?

– Ne soyez pas autant certaine que vous seriez plus heureuse en vivant à la campagne, conseilla Brock. Je peux vous garantir qu'il existe des milliers de gens malheureux qui vivent à la campagne à l'heure actuelle et qui pensent qu'ils seraient plus heureux s'ils vivaient dans une grande ville comme Vancouver. En fin de compte, ce n'est pas le fait d'habiter en ville ou à la campagne qui détermine si les personnes sont heureuses de l'endroit où elles habitent.

– Alors, puisque vous êtes si intelligent, dites-moi ce qui va le déterminer... rétorqua Michelle. Je ne suis certainement pas heureuse de vivre à Vancouver parce que c'est une vie de dingue dont je pourrais bien me passer.

– Pour être heureuse, où que vous soyez, reprit Brock, vous devez pouvoir faire preuve de reconnaissance, mais je constate que vous n'êtes pas très douée pour cela. Je ne dis pas que vous ne pourriez pas être heureuse à la campagne. En fin de compte, vous pourriez réaliser que la vie à la campagne est bien meilleure pour votre santé et votre tranquillité d'esprit que la vie dans une grande ville. Cependant, tant que vous n'aurez pas appris à être reconnaissante et heureuse en ville pendant au moins la moitié du temps, il y a de fortes possibilités pour que vous ne soyez jamais heureuse à la campagne.

«À ce sujet, Michelle, voulez-vous savoir comment être certaine d'être heureuse lorsque vous aurez déménagé à la campagne?

– D'accord, comment? demanda Michelle, qui doutait de la réponse.

– Suivez ces deux règles du bonheur, dit Brock sur un ton prosaïque. Il demanda ensuite à Sheldon de passer la diapositive suivante.

RÈGLE N° 1 : Soyez heureux de ce que vous êtes, où que vous soyez et quelle que soit votre situation matérielle.

RÈGLE N° 2 : Lorsque vous êtes malheureux de ce que la vie vous apporte, retournez à la Règle n° 1.

Après que tout le monde ait eu le temps de lire ce qui était sur l'écran, Brock se retourna vers Michelle : «En d'autres mots, Michelle, vous devez commencer à voir la ville comme un endroit heureux et vous n'aurez aucun problème à vivre à la campagne. Continuez de penser que la ville est un endroit horrible, et il y a de fortes possibilités que vous pensiez la même chose lorsque vous aurez vécu un certain temps à la campagne. Les bouddhistes disent : "Où que vous soyez, vous êtes ce que vous êtes".»

Il se peut que vous décidiez de voyager à la recherche du bonheur. Plus vous irez loin, plus grand sera le bonheur. Surprise!

Le seul bonheur que vous connaîtrez sur les contreforts de l'Himalaya est celui que vous aurez apporté avec vous.

«Beaucoup de notre bonheur dépend de notre capacité à montrer de la reconnaissance pour ce que nous avons, continua Brock en s'adressant à tout le monde. Retournons à ce que j'ai dit sur le fait que le bonheur ne se soucie guère de l'argent, du moment que nos besoins essentiels sont comblés.

«Je suis d'avis que si vous êtes heureux et si vous éprouvez de la reconnaissance pour ce que vous avez, même si votre revenu est bas ou moyen, vous serez certainement heureux quand vous entrerez en possession de beaucoup plus d'argent. Cependant, si vous êtes malheureux et triste avec un revenu moyen, vous ne serez certainement pas plus heureux ni reconnaissant, même avec dix millions de dollars. Vous serez encore malheureux et triste, mais avec beaucoup plus de confort et de style.»

Quelques rires jaillirent de l'auditoire.

«C'est tout à fait vrai, continua Brock. Vous pourrez même être encore plus malheureux et plus triste qu'avant d'avoir eu vos dix millions de dollars. Et vous ne pourrez même pas attribuer votre malheur au fait que vous n'avez pas assez d'argent. Tout ce qui vous attendra sera la tristesse et le malheur.»

Ron, le barbu à la queue de cheval qui avait demandé à Brock ce qu'il y avait de mal à avoir une vie confortable et qui ensuite, avait remis en question l'importance de respecter ses engagements, affronta Brock à nouveau.

«Je ne peux vous laisser répéter les mêmes bêtises sans vous dire ce que j'ai à dire. Ce n'est pas possible!

– Dites ce que vous avez à dire, Ron. Je vous laisse la place, répondit Brock.

– Votre affirmation selon laquelle l'argent ne peut pas acheter le bonheur est nulle, dit Ron sur un ton furieux. Je *sais* que c'est faux. Vous avez admis que le manque d'argent rend malheureux. Donc, la possession de beaucoup d'argent doit rendre heureux.

– D'accord, pouvez-vous me fournir plus de preuves? demanda Brock gentiment.

– Et comment, je le peux! affirma Ron. Certaines études démontrent que les gens riches sont plus heureux que les gens pauvres. Cela prouve donc que l'argent peut acheter le bonheur...

– Non, il ne peut pas l'acheter, dit Brock, en haussant le ton. Votre problème est que vous vous accrochez à toutes sortes d'idées préconçues que votre cerveau crée au sujet de l'argent et du bonheur. Et vous êtes prêt à accepter n'importe quelle information qui corrobore vos idées sans même accepter de considérer celles qui les réfutent, et cela uniquement pour protéger les idées préconçues que vous entretenez.

«Regardez bien, Ron, continua Brock. Je suis d'accord avec certaines études qui affirment que les riches sont plus heureux que les pauvres. Cependant, elles ne disent pas que tous les riches sont heureux. Tout d'abord, beaucoup de riches sont dans un état que l'on pourrait qualifier de "neutre"; ils ne sont pas malheureux et ne sont pas heureux non plus. Ils peuvent être plus heureux que la majorité des pauvres qui ont du mal à pourvoir à leurs besoins essentiels, mais on ne peut pas dire que ces riches-là soient vraiment heureux.

«À vrai dire, permettez-moi de vous faire part des résultats d'une recherche faite par Ed Diener, qui a étudié le concept du bonheur à l'Université de l'Illinois. Il a conclu que 30 pour cent des personnes à très hauts revenus ne connaissent pas autant de bonheur que l'Américain moyen. Cette étude nous apporte suffisamment de preuves que l'argent ne peut acheter le bonheur. Toutefois, Ron, nous allons faire un petit exercice qui vous fera peut-être changer d'idée, si vous acceptez d'être assez ouvert pour oublier quelques instants vos idées préconçues sur l'argent et sur ce qu'il peut vous apporter.

– Je suis impatient de voir ça, répondit Ron en plaisantant.

Faites bien attention à votre perception du bonheur.
Une vie heureuse ne veut pas dire une vie dénuée de malheurs.
Les malheurs se glisseront subrepticement dans votre vie
sans même que vous vous en aperceviez.
Le bonheur aussi.
Ce que vous choisissez de faire quand l'un ou l'autre arrivera dépend
uniquement de vous.

Au moment même où Brock allait continuer, Ting leva la main pour faire part de quelques-unes de ses pensées. Il commença à parler avant que Brock ait pu lui donner la parole.

«Brock, il y a quelques remarques que j'aimerais faire au sujet de ces recherches qui ont été citées par Ron.

– Allez-y, dit Brock sur un ton enjoué.

– Les résultats de ces recherches ont démontré que les riches étaient plus heureux que les pauvres, mais ne prouvent pas que c'est l'argent qui fait le bonheur, avança Ting. On n'a établi aucune relation de cause à effet entre les deux. La question à se poser est de savoir qui est arrivé en premier : le bonheur ou l'argent? C'est exactement comme l'œuf et la poule. Il est possible que beaucoup de personnes soient devenues riches parce qu'elles étaient heureuses même lorsqu'elles étaient pauvres. Le fait qu'elles aient été heureuses et positives alors qu'elles étaient pauvres les a peut-être aidées à devenir riches. Les pauvres qui sont mécontents de leur sort et qui rouspètent pour un rien, sans faire quoi que ce soit pour l'améliorer, ont beaucoup plus tendance à demeurer pauvres et malheureux.

– Voilà une observation très intéressante, Ting. Pour être honnête, j'aurais aimé y avoir pensé moi-même», dit Brock.

Vous reconnaîtrez le moment où
vous aurez atteint le vrai bonheur.

*Le vrai bonheur ne coûte pas cher, alors que les
succédanés qui ne fonctionnent jamais sont hors de prix.*

Brock se dirigea vers le pupitre et jeta un coup d'œil rapide à ses notes avant de poursuivre : «Juste par curiosité, je voudrais commenter davantage les conclusions de la recherche faite par Ed Diener. Ce psychologue de l'Université de l'Illinois s'est spécialisé dans l'étude de l'argent et de son rapport avec le bonheur. Après avoir mené plusieurs études, ce chercheur en est arrivé à la conclusion que l'argent peut nous rendre la vie plus agréable mais qu'il n'apporte pas le *vrai* bonheur, qui vient de pair avec le respect de soi-même, le sentiment du travail bien fait et la satisfaction.

«Dans un de ses projets de recherche, Diener s'est aperçu que les personnes qui avaient gagné à la loterie ressentent un sentiment de bonheur plutôt fugace. Toutefois, un an après avoir gagné, ils ne sont pas plus heureux qu'avant, En d'autres termes, s'ils étaient malheureux et défaitistes avant de gagner, ils ne mettaient pas beaucoup de temps à redevenir aussi malheureux et aussi défaitistes.»

Ursula, la blonde à l'accent hollandais qui, au cours de la première conférence, avait déclaré qu'elle avait manqué d'amour dans son enfance et qui mettait la faute de sa vie manquée sur le compte de ses parents, protesta avec véhémence.

«Je me moque pas mal de ce qu'un petit professeur arrogant d'une université de seconde zone peut bien dire. À long terme, l'argent peut acheter le bonheur. Il peut acheter la paix de l'esprit, et il peut même acheter des connaissances. Or, on n'a rien de tout cela quand on est pauvre ou que l'on éprouve des problèmes d'argent.»

Brock ne dit rien, mais l'expression sur son visage signifiait : «*Je crois pas que vous n'avez rien compris du tout*». Au lieu de lui répondre, il réfléchit pendant un bref moment et s'adressa à la salle au complet.

«Qui, parmi vous, croit qu'Ursula serait capable de connaître le bonheur total jusqu'à la fin de ses jours si elle gagnait dix millions de dollars à la loterie?»

Un silence pesant envahit la salle. Personne ne leva la main, Ron et Michelle pas plus que les autres.

Ursula explosa : «Vous avez tous tort. Si je gagnais dix millions de dollars à la loterie, je serais la personne la plus heureuse au monde et je vous prouverais à tous qu'une grande quantité d'argent *peut* acheter le bonheur.»

Brock s'arrêta à nouveau et commença à parler à voix très haute pour produire plus d'effets : «C'EST TOTALEMENT STUPIDE, URSULA. LE BONHEUR SE GAGNE, SE CRÉE ET SE VIT, MAIS ON NE PEUT L'ACHETER. CELA N'A RIEN À VOIR AVEC L'ARGENT QUE L'ON POSSÈDE.

«Si le fait d'avoir beaucoup d'argent conduisait à un bonheur authentique et durable, les personnes riches de ce monde se promèneraient toutes avec un immense sourire. La dernière fois que j'ai vérifié, elles n'avaient pas l'air de sourire plus que le reste de l'humanité. Loin de là! En fait, je connais pas mal de gens très riches qui semblent être à l'agonie chaque fois que leurs lèvres esquissent l'ombre d'un sourire. J'ai l'impression qu'ils ont déjà cru qu'ils seraient les plus heureux des individus s'ils avaient le magot.»

Quelques personnes dans la salle sourirent tandis qu'Ursula, dont le caquet avait été rabaissé par les commentaires, ne faisait que fixer Brock.

«Ursula, ne pensez surtout pas que je me moque de vous, ajouta Brock. Nous tombons tous dans le piège de croire qu'une grosse somme d'argent nous apportera le bonheur. En fait, je voudrais remercier Michelle et Ron de nous avoir donné leur opinion sur l'argent et le bonheur. Vos contributions ont été une excellente entrée en matière pour l'exercice que je vais vous proposer. Il vous fera remettre en question l'idée folle que nous avons tous que le bonheur véritable peut s'acquérir avec de l'argent.

«Maintenant, je voudrais que chacun prenne le temps de faire une liste des éléments qui contribuent au bonheur et que l'argent ne peut pas acheter. Je parle ici de choses qui n'ont pas de prix – peu importe l'argent qu'on puisse y consacrer – et qui apportent du bonheur. Et là, je parle de plus d'un ou deux éléments.»

Après avoir donné aux participants cinq minutes de réflexion, Brock leur demanda de donner leurs réponses. Sheldon entra les données sur l'ordinateur et ensuite, projeta sur l'écran cette liste, qui comportait trente-quatre éléments. Brock en rajouta un dernier, ce qui porta le nombre à trente-cinq.

ÉLÉMENTS FAISANT PARTIE DU BONHEUR ET QUI NE PEUVENT ÊTRE ACHETÉS

La santé physique

La longévité

L'indépendance

La créativité

De bons amis

La réussite

La satisfaction

La patience

La gratitude

La compassion

L'empathie

La santé mentale

Le sens de l'économie

La cordialité

La volonté

L'autodiscipline

La générosité

L'humilité

Un bon caractère

Le sens de l'humour

La joie

Le civisme au volant

La noblesse des sentiments

Le charme

Une bonne forme physique

L'estime de soi

Le temps

La spiritualité

La sagesse

Une famille affectueuse

Le respect des autres

L'intégrité

Une bonne réputation

La tranquillité d'esprit

Le sentiment d'avoir quelque chose à accomplir dans la vie

Brock déclara ensuite en élevant considérablement la voix :

«CECI EST VALABLE POUR TOUS LES INDIVIDUS QUI PENSENT ENCORE QUE L'ARGENT PEUT ACHETER LE BONHEUR. NOUS AVONS DRESSÉ UNE LISTE DE TRENTE-CINQ ÉLÉMENTS QUI FONT PARTIE DU BONHEUR ET QUE L'ARGENT NE PEUT PAS ACHETER. DONC, SI LE BONHEUR DÉCOULE DE TOUTES CES CHOSES ET QUE L'ON NE PEUT PAS SE LES PROCURER AVEC DE L'ARGENT, COMMENT CELUI-CI PEUT-IL ACHETER LE BONHEUR?»

Brock s'arrêta quelques instants. Il demanda ensuite d'une voix douce : «Y a-t-il dans cette salle quelqu'un qui ne comprenne pas cela?»

Les gens restèrent silencieux. Sans que quiconque s'en surprenne, il n'y eut aucune contestation et la conférence prit fin dans le silence.

«Vous pouvez refuser de voir la vérité autant que vous le voudrez, la vérité se moque pas mal que vous croyiez en elle ou pas. Le bonheur, finalement, est un choix que vous faites. La grosseur de votre compte en banque et la quantité de vos biens matériels n'ont strictement rien à voir avec le bonheur que vous pourriez atteindre dans votre vie. Notre planète est habitée par de nombreux milliardaires et millionnaires malheureux qui pensent pouvoir rencontrer le bonheur en devenant encore plus riches. Malheureusement, ils ne trouveront jamais le bonheur, à moins de changer leur façon de vivre.

«Le dernier élément du bonheur – qui est inestimable – est le plus important. Pensez aux grands personnages de notre terre – Mère Teresa, le Dalaï Lama, Nelson Mandela et Gandhi. Ils ont vécu avec très peu, si l'on considère le peu de ressources financières et de biens matériels dont ils disposaient. Et pourtant, leur vie a été remplie de bonheur, de joie et de réalisations personnelles. Ils ne visaient pourtant ni le bonheur ni la renommée. Ces derniers ont résulté d'un but beaucoup plus élevé : leur désir de travailler pour le bien de l'humanité.

«Il est certain que pour pratiquement chacun d'entre nous, les plus grandes joies que nous pouvons avoir ne s'obtiennent pas avec de l'argent, du pouvoir ou du prestige. Elles viennent de la satisfaction que nous éprouvons quand nous nous sommes donnés totalement à une bonne cause. Cette récompense n'est pas monétaire; elle sera en relation directe avec la bonne action, le travail ou le cheminement personnel que nous avons accompli.

«Cela vous surprendra peut-être, mais vous devrez, vous tous autant que vous êtes, suivre le paradoxe de la vie facile jusqu'à la fin de votre vie si vous voulez être heureux. Vous devrez poursuivre un objectif ou une mission qui présente un certain risque ou un défi. C'est absolument vital si vous voulez continuer à ressentir la satisfaction et le sentiment d'avoir réussi quelque chose qui vous conduira au bonheur.

«Je voudrais conclure en disant que ce que vous faites dans la vie ou encore le niveau de gloire ou de fortune que vous voulez atteindre importe peu tant que vous vivrez dans la paix, la santé et l'amour. Si vous ne possédez pas ces trois dernières choses, par quoi allez-vous les remplacer? Ne perdez jamais de vue que le bonheur n'est pas une fin en soi, mais la conséquence d'un travail bien fait, d'une bonne santé, et du sentiment d'avoir accompli votre devoir, poursuivi vos objectifs, accepté l'inévitable, aimé l'humanité, démontré de la gratitude, contribué au bonheur des autres, bref, d'avoir vécu pleinement.

«Bien entendu, prenez tout le temps nécessaire pour atteindre la réussite personnelle que vous voulez. Cependant, assurez-vous que votre vie soit une vie comblée, satisfaisante, heureuse et décontractée. Quoi que la réussite puisse représenter à vos yeux, le chemin qui y mène devrait vous paraître plus agréable que le but lui-même. Et, si vous faites vraiment ce qui est salutaire pour vous sur le plan de la réussite, vous n'aurez pas besoin de courir après le bonheur : c'est le bonheur qui vous trouvera.

Le bonheur qui passe aujourd'hui n'a ni passé ni futur.
Il est ce qu'il est.
Profitez-en pendant que vous le pouvez.
Le bonheur dont vous n'avez pas profité
aujourd'hui est perdu à jamais.

* * *

Quand les stagiaires eurent tous quitté la salle, Brock remit à Sheldon les cent dollars pour son travail lors de la conférence.

«Croyez-le ou non, vous me devez encore trois cents dollars, dit Sheldon en riant.

– Et comment cela? demanda Brock aimablement.

– J'ai trouvé trois autres solutions à l'exercice des allumettes, lundi soir, quand je suis rentré à la maison après notre dîner au Chianti.

– Pas possible! s'exclama Brock. Montrez-moi ce que vous avez trouvé cette fois-ci.»

Après que Sheldon se fut exécuté, Brock le félicita pour commencer et le rétribua avec plaisir.

«Et maintenant, avez-vous besoin que quelqu'un vous dise que vous êtes un génie et vous montre de quoi vous êtes capable quand vous vous décidez à agir? demanda Brock en fouillant dans son portefeuille. Je peux vous donner cent dollars en argent, mais je devrai vous faire un chèque pour les autres deux cents dollars. Par simple curiosité, avez-vous encore les neuf cents dollars que je vous ai remis l'autre soir au Chianti?

– Je les ai déposés à la banque. J'économise pour acheter une voiture. Comme vous nous l'avez conseillé, je les ai mis dans un compte bloqué. Je vais aller déposer trois cents dollars de ce que j'ai gagné aujourd'hui et je vais me permettre de dépenser cent dollars à ma guise», répondit Sheldon.

– Comme je vous l'ai déjà dit, vous apprenez vite, mon garçon. Allons prendre un café dans notre petit bistrot habituel. Je vous raccompagnerai à la maison après, proposa Brock.

– Excellente idée, dit Sheldon. J'apprécie tout spécialement que vous me reconduisiez chez moi. C'est dommage que vous ne me donniez pas une de vos voitures – la Mercedes 190 SL ou la Porsche, n'importe laquelle des deux fera l'affaire.

– N'y pensez même pas, répondit Brock. Vous aurez votre propre voiture quand le temps viendra.»

La soirée était chaude et agréable lorsque Brock et Sheldon sortirent de l'hôtel Landmark. La Mercedes 190 SL à toit ouvrant de Brock était garée à un pâté de maisons de là. Brock commença par baisser la capote. Ensuite, à la grande surprise de Sheldon, il lui demanda s'il voulait prendre le volant.

Sheldon éprouva beaucoup de plaisir à conduire la Mercedes. Étant donné que c'était un modèle 1959, son moteur n'était pas très puissant pour une voiture sport. Installé au volant, il vécut une expérience toute nouvelle et éprouva une sensation qu'il n'avait jamais ressentie en conduisant une autre voiture. Brock lui laissa le volant pour conduire jusqu'au café et ensuite, du café jusque chez lui.

Plus tard, alors qu'il était chez sa tante, Sheldon se mit à rêver au moment où il aurait enfin assez d'argent pour s'acheter sa propre Mercedes 190 SL. Il se mit également à penser au bonheur qu'il éprouverait s'il gagnait autant d'argent que Brock et s'il pouvait s'acheter toutes les choses qu'il avait toujours voulues.

Quelques minutes plus tard, il ouvrit au hasard une page vers la fin du *Petit Livre du secret de la vie* et tomba sur un puissant rappel de ce que Brock avait dit au sujet de l'argent et du bonheur. Cette maxime toucha une corde sensible chez lui. Il devait s'en rappeler toute sa vie et la citer de nombreuses fois.

Si vous croyez vraiment que l'on peut acheter
le bonheur, pourquoi n'essayez-vous pas de
vendre une partie du vôtre?

Épilogue

*DANS VOTRE RECHERCHE DE CE QUI EST VRAIMENT IMPORTANT
À VOS YEUX VOUS AVEZ DEUX CHOIX À FAIRE :
ENTREPRENEZ DES ACTIONS AUDACIEUSES AUJOURD'HUI
EN SACHANT QUE LA PLUPART NE DÉBOUCHERONT SUR RIEN,
MAIS QU'IL EST POSSIBLE QU'UNE OU DEUX FONCTIONNENT.*

*OU BIEN ALORS, CONTENTEZ-VOUS DE NE RIEN FAIRE,
AVEC L'IDÉE TOUTE FAITE QUE, DE TOUTE FAÇON, RIEN N'ABOUTIRA.*

Les semaines passèrent, se transformèrent en mois, et les mois en années. Sheldon appliqua rigoureusement les principes du paradoxe de la vie facile à tous les domaines de sa vie, spécialement à sa carrière, à sa santé, à sa forme physique, à son budget, à sa famille et à sa vie sociale. Il avait également pris l'habitude de lire un extrait ou deux du *Petit Livre du secret de la vie* tous les jours, pour se donner un élan spirituel.

Dix ans après avoir rencontré Brock, Sheldon était marié et avait un fils de six ans. Il habitait San Francisco mais gardait un contact étroit avec Brock, Silvina et Korina. Brock avait épousé Silvina et était resté à Vancouver. *Voyons donc, Maman, elle est facile, la vie* était devenu un best-seller international. Korina avait maintenant vingt ans et étudiait l'anthropologie à l'une des universités de Vancouver.

Ayant suivi les principes associés avec le paradoxe de la vie facile, Sheldon menait une vie remplie, tranquille, heureuse et satisfaisante. Brock était très fier de toutes les réalisations de Sheldon. Ce dernier avait obtenu ses diplômes universitaires et avait commencé à travailler pour une société située à San Francisco. Grâce aux sept principes de la créativité, en deux ans à peine, Sheldon était devenu le meilleur vendeur de la société pour laquelle il travaillait.

Soyez plus attentif,
plus sensibilisé,
plus à l'écoute,
et pensez davantage que l'individu moyen.

Vous entrerez alors dans le territoire des génies.

Un an plus tard, Sheldon fut promu directeur du marketing. Il réussit en même temps à terminer une maîtrise en administration en suivant des cours du soir. Quand il s'aperçut que son employeur lui demandait de travailler une moyenne de soixante heures par semaine, il réalisa que le paradoxe de la vie facile s'appliquait également à lui. Il comprit qu'il était en train de faire ce qui était facile et sécurisant en restant au sein de cette société qui lui offrait un excellent emploi, un salaire élevé et un sentiment de sécurité. La partie désagréable et difficile de son travail était qu'il menait une vie peu équilibrée et qu'il ne pouvait pas se consacrer à sa femme et à son fils comme il l'aurait voulu.

Il se souvint alors que Brock avait dit qu'une personne devait faire ce qui est difficile et désagréable si elle voulait se retrouver dans la même situation que lui. Donc, à la grande surprise de ses amis et de ses collègues de travail, Sheldon quitta son emploi, son excellent salaire pour entreprendre ce qu'il avait toujours rêvé de faire : devenir un auteur et un orateur professionnel, comme Brock.

Comme il avait appris à utiliser sa créativité, qui était son plus grand capital, il devint rapidement l'un des meilleurs conférenciers en Amérique du Nord. Chaque conférence lui rapportait 10 000 dollars. Il aurait pu faire trois cents conférences par an, mais il en acceptait au maximum cinquante, afin de mener une vie équilibrée. Il donnait aussi de son temps en offrant dix conférences sur la façon de gérer sa vie à des organisations à but non lucratif qui aidaient les jeunes adultes désavantagés par la vie.

Il devint l'auteur d'un livre à grand succès dont le titre était *Success Ain't What You Think It Is* (Le succès n'est pas vraiment ce que vous pensez). Il devint une figure internationale très respectée en matière de performance et de gestion de la vie. Les médias le reconnaissaient comme étant une personnalité marquante après qu'il eût publié de nombreux articles dans des centaines de journaux, revues et magazines comme *Success Magazine* et *USA Today*. Le magazine publié par Oprah fit même un article de fond sur lui.

Il montra son excellence lorsqu'il appliqua le paradoxe de la vie facile à son budget et acheta la maison de ses rêves dans le quartier Pacific Heights, à San Francisco. Contrairement à Brock, il prit une hypothèque. Cependant, il réussit à payer sa maison en cinq ans. Il avait également fait l'acquisition d'une voiture sport ancienne comme il en avait toujours rêvé. C'était une Mercedes 190 SL argent avec un toit noir qu'il avait achetée seulement trois ans après avoir rencontré Brock. Sheldon et sa femme possédaient également une nouvelle Toyota Camry et une Porsche Boxster décapotable.

Sheldon se remémorait souvent ce que Brock avait dit au sujet d'Oprah : si elle avait réussi à surmonter tous les problèmes auxquels elle avait dû faire face dans son enfance, lui aussi, Sheldon, pourrait aller très loin dans la vie. Bien qu'il n'ait pas obtenu la notoriété d'Oprah, Sheldon avait réussi à faire un bon bout de chemin. Il s'était fait honorablement connaître, surtout depuis qu'il animait une émission de télévision hebdomadaire au cours de laquelle il présentait un programme de développement personnel sur la chaîne PBS. Inutile de dire que le paradoxe de la vie facile était à l'honneur au cours de ses émissions.

Le paradoxe de la vie facile était l'un des principes essentiels sur lesquels Sheldon élaborait au cours des conférences qu'il présentait aux jeunes adultes défavorisés. Pour bien montrer la chance incroyable que l'on peut avoir si on la cherche, Sheldon avait souvent recours à l'exercice des allumettes de Brock. Assez étonnamment, le nombre de solutions était passé à plus de cinquante!

Bien que Sheldon ait écrit son propre livre, il présentait beaucoup des maximes retrouvées dans *Le Petit Livre du secret de la vie* dans ses conférences et dans ses écrits. Il citait un de ses passages favoris pour qu'il devienne une source d'inspiration pour ses étudiants et leur montre que dans la vie, on doit essayer et risquer de nouvelles choses.

«C'est trop difficile, trop ardu». Voilà ce que nous disons.
Ce n'est pas parce que nous les avons essayées et trouvées difficiles
que les choses sont difficiles.
Elles le sont parce que nous ne les avons pas essayées
et que nous continuons de penser qu'elles le sont.

Sheldon utilisait deux autres passages pour souligner l'importance d'avoir des amis de qualité.

Il n'y a pas d'erreur à faire : ce sont les personnes que nous côtoyons qui détermineront le degré de réussite et de bonheur que nous atteindrons.
Ayez de bonnes fréquentations et vous deviendrez comme elles.
Ayez de mauvaises fréquentations et vous leur ressemblerez.
Apprenez à juger du caractère des individus.
Il est parfois préférable d'être seul plutôt que d'avoir
de mauvaises fréquentations.

Sheldon employait aussi ses propres paroles pour livrer son message : «Si votre but dans la vie est de devenir un dégénéré mais que vous n'avez jamais vraiment réussi à le devenir, recherchez la compagnie de dégénérés. Si votre but est d'être quelqu'un dans la moyenne, recherchez la compagnie de personnes qui sont heureuses de se trouver dans la moyenne. Cependant, si vous aspirez à être quelqu'un d'important, fréquentez les personnes qui font ce qui est difficile et pénible et qui, ce faisant, apportent quelque chose au reste du monde.

Il citait fréquemment Oprah en exemple pour illustrer ce qu'une personne défavorisée avait pu faire en ayant la volonté de renoncer à être une victime. Il insistait sur le fait qu'une personne peut faire une foule de choses pour arrêter d'être victime des circonstances. En changeant sa façon d'envisager la vie du point de vue psychologique, émotionnel et spirituel. Sheldon n'hésitait pas à citer sa propre réussite comme preuve de ce que les personnes défavorisées peuvent accomplir.

Cela ne voulait pas dire qu'il n'y avait pas eu de difficultés et d'obstacles majeurs dans la montée de Sheldon vers la réussite. Brock l'avait prévenu qu'il devrait utiliser sa créativité et payer le prix nécessaire pour aller là où cela valait la peine d'aller. *Le Petit Livre du secret de la vie* disait la même chose.

Ne soyez jamais découragé parce que les autres sont
plus favorisés ou ont plus de talent que vous.
Vous pourrez toujours compenser votre manque de chance
par de la créativité.
Jouer le jeu de la vie, c'est comme jouer une partie de poker :
mal jouer trois as risque de vous avancer moins
que de bien jouer une mauvaise main.

Atteindre la réussite n'avait pas été facile, Sheldon avait dû surmonter beaucoup de difficultés et de contretemps pour y arriver.

Ce que l'on considère comme important pour en arriver à
une réussite créatrice n'a plus tellement d'importance
une fois que tout a été fait et dit.
Ce que l'on considère comme peu important l'est mille fois
plus que ce que la majorité des gens peuvent imaginer.
Si vous aspirez à une réussite notable, apprenez à distinguer
ce qui est vraiment important de ce qui ne l'est pas.
Il se pourrait fort bien qu'on vous prenne non seulement pour un
génie, mais peut être aussi pour une sorte de messie.

Brock l'avait également prévenu que les personnes qui avaient réussi éprouvaient tout autant de problèmes que les autres.

Prenez garde à la réussite.
Une fois celle-ci atteinte, il est préférable de vous arrêter pour réfléchir.
La réussite peut apporter de la souffrance et du découragement.
Ne soyez pas surpris quand vous découvrirez qu'elle ne vous apporte
pas tout le bonheur et toute la tranquillité d'esprit que vous aviez
imaginés.

Un des problèmes que Brock avait mentionnés était que les personnes qui ont réussi doivent s'attendre à du ressentiment de la part des personnes envieuses qui n'ont pas fait ce qu'il fallait pour atteindre leur part de succès.

Vous saurez quand vous aurez fait quelque chose de bien,
de bon ou d'important.
La quantité de critiques que vous recevrez vous assourdira.
Le nombre de vos ennemis augmentera, lui aussi.

Sheldon pensait souvent à toute la joie et à toute la satisfaction qu'il n'aurait jamais éprouvées s'il n'avait pas connu le paradoxe de la vie facile et *Le Petit Livre du secret de la vie*. Il est certain qu'il ne serait jamais devenu un auteur à succès, un conférencier de renom et une personnalité médiatique. Il aurait sans doute fini comme plusieurs de ses vieilles connaissances, en vivant une vie morne et en rejetant la faute sur la société.

C'est à vous de décider du genre de liberté que vous voulez.
Dépendre de forces extérieures – d'amis, de la famille, de la société,
d'un gouvernement ou de coups de veine – c'est en devenir l'esclave.
Dépendre de vous seul, c'est devenir le maître.
Alors, esclave ou maître?
À vous de choisir.

Au cours des conférences qu'il donnait aux adultes pauvres et défavorisés, Sheldon insistait sur l'importance de poursuivre la carrière de ses rêves plutôt que d'opter pour un emploi qui leur procurerait le meilleur salaire possible. Il insista également sur le fait qu'ils devaient eux-mêmes choisir leur carrière et non se la faire imposer par leurs parents, leurs professeurs, leurs amis ou le conseiller en choix de carrière de leur école.

La plupart des gens vont à leur dernier repos
en regrettant tout ce qu'ils n'ont pas fait.
La meilleure façon de les imiter est de faire partie de la chorale
à la place de chanter en solo.

Au contraire de bien des personnes sur terre, Sheldon avait renoncé à essayer de comprendre pourquoi il y avait tant d'injustice en ce bas monde. Il avait décidé de faire de son mieux et de mener une vie aussi pleine que le permettaient les circonstances négatives de l'époque. Pour lui, *Le Petit Livre du secret de la vie* avait replacé les choses dans une juste perspective.

Pensez beaucoup, mais pas trop tout de même
ni trop profondément.
La vie doit être vécue; elle ne doit pas être comprise à tout prix.

Sheldon était heureux, ce qui était beaucoup plus important que le fait d'avoir atteint un certain niveau de notoriété et de fortune. Il avait acquis une tranquillité d'esprit parce qu'il menait une vie remplie, décontractée et satisfaisante et il se trouvait extrêmement reconnaissant d'y être parvenu.

Repérez tout ce qui ne va pas dans votre vie.
Ensuite, faites ce qu'il faut pour apporter les correctifs nécessaires.
Vous ne pouvez pas vous payer le luxe de ne pas le faire.

* * *

Dix ans après avoir rencontré Brock et avoir trouvé *Le Petit Livre du secret de la vie*, Sheldon donnait une de ses conférences à Oakland devant un groupe de jeunes adultes défavorisés. Son assistant était Eduardo, un immigrant mexicain de vingt-quatre ans que Sheldon avait rencontré deux jours plus tôt. Il y avait quelque chose de curieux dans la façon dont ils s'étaient rencontrés. Sheldon avait garé sa Mercedes 190 SL rue Polk, à San Francisco. Eduardo s'était arrêté pour l'admirer.

Au moment où Sheldon en sortait, Eduardo déclara : «C'est une fichue de belle vieille voiture sport. J'aimerais vraiment en posséder une comme celle-là...

– Rien ne vous en empêche, répliqua Sheldon avec un grand sourire.

– C'est absolument impossible pour un jeune Mexicain comme moi qui vient d'arriver aux États-Unis. Je commence dans la vie et je me bats pour joindre les deux bouts. Alors, vous comprenez *Señor* que, pour moi, posséder une voiture aussi chère est un rêve inaccessible, répondit Eduardo avec son accent mexicain.

– Pourquoi serait-ce un rêve inaccessible? J'ai été élevé dans les ghettos de Los Angeles par une mère monoparentale et j'ai dû faire face à beaucoup de désavantages. Si un *Black* comme moi, avec une enfance aussi défavorisée que la mienne, peut posséder une voiture sport de collection, vous pourrez certainement y arriver d'ici quelques années.

– Comment avez-vous fait? Avez-vous gagné le gros lot à la loterie? demanda Eduardo.

– Absolument pas, répondit Sheldon en souriant. Au fait, je m'appelle Sheldon. Permettez-moi de vous parler du paradoxe de la vie facile.»

Une demi-heure plus tard, Sheldon demandait à Eduardo d'être son assistant à la conférence qu'il allait donner à Oakland. Il lui prêta également son exemplaire du *Petit Livre du secret de la vie*.

Regardez le monde autour de vous :
il peut avoir l'air d'un endroit bien dur pour y vivre
et d'un endroit encore plus dur pour y être heureux.
Il n'est ni l'un ni l'autre.
Avec la bonne attitude et une bonne dose de créativité,
vous pouvez en faire un paradis.